Inhalt

Für A, für Y

Hausfriedensbruch

Personen

Anna
Merkens (M)
Polizist
Pfarrer
Kuckertz
Prof. Perz
Maria Merkens
Busch
Schlohr

I

(Akustik eines großen, mit Teppich ausgelegten, geschlossenen Raumes.)

ANNA: Sie hätten nicht kommen sollen.

M: Du bietest mir nicht einmal einen Stuhl an?

ANNA: Ich wollte nur vor dem Mädchen keine Szene machen. Sonst hätte ich Sie nicht hereingelassen.

M: Nichts zu trinken, Anna, keine Zigarette?

ANNA: Nein. Außerdem verbitte ich mir, daß Sie du zu mir sagen.

M: Darf ich rauchen?

ANNA: Nein. Ich fordere Sie auf, das Haus zu verlassen.

M: Wenn du's dreimal hintereinander sagst, mache ich mich des Hausfriedensbruchs schuldig.

ANNA: Ich fordere Sie zum zweiten Mal auf, das Haus zu verlassen.

M: Du könntest die Polizei anrufen und mich 'rausschmeißen lassen, du könntest mich verklagen, und ich würde den Prozeß verlieren. Ich würde alles zugeben. Einmal habe ich deine Schwester Renate getroffen, sie hat mir erzählt, daß dein Vater immer weiter mit Selbstmord gedroht hat. Hat er dir auch mit Selbstmord gedroht, als du einen geheiratet hast, der die gleiche Konfession hat wie ich, und als du selbst dann zu dieser Konfession übergetreten bist?

ANNA: Ich bin Ihnen keinerlei Auskunft schuldig. Ich fordere Sie zum dritten Mal auf, das Haus zu verlassen.

M: Ruf die Polizei an. Ich warte. Ich bin dir nachgefahren, nach Frankfurt, nach München, überall hin, wo du angeblich gearbeitet hast. Aber du warst immer schon weg, wenn ich kam, nicht zu finden.

ANNA *(geht zum Telefon, wählt eine dreistellige Nummer; die Stimme auf der Polizeistation bleibt unverständlich)*: Ich werde von einem Herrn belästigt, den ich schon dreimal aufgefordert habe, das Haus zu verlassen. Können Sie mir einen Beamten schicken, der mich von der Gegenwart dieses Herrn befreit? *(kurze Pause, die Männerstimme am anderen Ende der Leitung unverständlich)* Kuckertz, Steubenstraße 4a. *(Anna legt auf. Sie macht einige Schritte, öffnet eine Tür)* Ich fordere Sie auf, mir nicht zu folgen.

M: Ich werde dir in die Küche folgen und dir in die Töpfe gucken, ich werde dir ins Badezimmer folgen und das Handtuch berühren, mit dem du dich abtrocknest, in dein Schlafzimmer werde ich dir folgen, die Töpfe und Tuben mit deinen Kosmetika öffnen und daran riechen, ich werde deine Wäsche im Schrank hochheben und die Briefe finden, die ich dir geschrieben habe. Ich habe einen Grundriß des Hauses in der Tasche, Mädchen, eine Blaupause, aus dem Büro eures Architekten besorgt. Ich kenne jede Tür, jeden Flur – und irgendwo zwischen Schlafzimmer und Bad werde ich zudringlich werden.

ANNA: Und wenn ich Sie bitte, einfach nur bitte, mich in Ruhe zu lassen?

M: Jetzt oder für immer?

ANNA: Jetzt *und* für immer.

M: Du weißt, daß ich diese Bitte nicht erfüllen kann. Wirst du meine Briefe beantworten, die, die zwanzig Jahre alt sind, und die, die fünf Tage alt sind?

ANNA: Nein.

M: Immerhin hast du zugegeben, daß du sie bekommen hast. Wirst du mich anrufen? Ich wohne allein.

ANNA: Nein. Sie müssen doch einsehen, daß es sinnlos ist, Wahnsinn. Ich habe einen Mann und zwei Kinder.

M: Ich weiß. Einen Jungen von sieben, ein Mädchen von fünf. Ich habe eine Frau und zwei Kinder, ein Mädchen von sieben und einen Jungen von fünf. Das Haus, in dem du wohnst, ist eine Preisklasse höher als meins, euer Schwimmbassin ist neun mal sieben, unseres nur sieben mal fünf. Ihr habt zwei Badezimmer, wir nur eins und einen Duschraum. Ihr habt in eurer Garage zwei große Autos, wir ein großes und ein kleines. Das heißt: Jetzt steht nur das große in unserer Doppelgarage, ich hab's der gelassen, mit der ich verheiratet bin. Mir genügt das kleine, ich brauche für eine Weile nicht mehr zu repräsentieren ...

ANNA: Du hast – Sie haben ...

M: Jetzt hast du auch noch du zu mir gesagt. Ich könnte darüber triumphieren, Mädchen, ich tu's nicht. Ja, ich habe meine Kanzlei verpachtet, für ein Jahr, für zwei, ich weiß noch nicht, für wie lange *(leiser)*. Vor fünf Tagen ist es mir endlich gelungen, zu eurem Nachbarn eingeladen zu werden. Über einen Schulfreund, dessen Frau eine Kusine deines Nachbarn ist, ist es mir endlich gelungen. Es hat acht Wochen gedauert. Wie schwer ist es, sich unauffällig und scheinbar zwanglos in eins unserer Häuser einzuschleichen; eine Zeitlang habe ich dir aufgelauert, wenn du morgens die Kleine zum Kindergarten gebracht hast und dann einkaufen gegangen bist, aber ich wollte dich einmal in Ruhe betrachten, und das ist mir gelungen, als ich nebenan eingeladen war: Deine Kinder spielten um das Schwimmbassin herum, und du hast da im Badeanzug gesessen und gestrickt.

ANNA: Und Sie haben nicht einmal bedacht, daß einer von nebenan Sie hätte beobachten können, als Sie eben hier geklingelt haben.

M: Ja, der gute Ruf. Ich habe ihn sogar bedacht. Die von nebenan sind verreist.

(Man hört die Haustürklingel, einen kurzen, unverständlichen Dialog zwischen einer Frauenstimme und der Stimme des Polizisten, es wird an die Tür geklopft, Anna sagt: Bitte. Die Tür wird geöffnet.)

POLIZIST: Polizeimeister Kern. Sie haben angerufen, Frau Doktor. Ist das der Herr, der ...

ANNA: Ja.

POLIZIST: Die Dame hat Sie dreimal aufgefordert, das Haus zu verlassen?

M: Ja.

POLIZIST: Sind Sie bereit, das Haus freiwillig in meiner Begleitung zu verlassen, oder ...?

M: Ich gehe mit Ihnen.

POLIZIST: Frau Doktor, wollen Sie Anklage wegen Hausfriedensbruchs erheben?

ANNA: Ich werde mit meinem Mann und unserem Anwalt darüber sprechen.

POLIZIST: Hat dieser Herr Sie körperlich bedroht?

ANNA: Nein.

POLIZIST: Ist der Herr gewaltsam hier eingedrungen?

ANNA: Nein. Er hat geklingelt, das Mädchen hat ihn hereingelassen, weil er mich sprechen wollte.

POLIZIST: Kannten Sie den Herrn, oder ist er unter einem Vorwand bei Ihnen eingedrungen?

ANNA: Ich kannte ihn – vor vielen Jahren.

POLIZIST: Worin bestand die Belästigung? Hat er Ihnen – ich meine, hat er Ihnen unsittliche Anträge gemacht?

ANNA: Nein.

POLIZIST: Worin bestand die Belästigung?

ANNA: In seiner Gegenwart.

POLIZIST: Er wollte Ihnen nichts verkaufen oder so? Ich meine, daß er die alte Bekanntschaft ausgenutzt hat, um ...

ANNA: Nein.

POLIZIST: Also die Belästigung bestand nur in seiner Gegenwart. Er war Ihnen einfach lästig?

ANNA: Ja. Ich wollte, daß er geht, und er ist nicht gegangen.

POLIZIST: Aber bedroht hat er Sie nicht?

ANNA: Nein.

POLIZIST: Und Sie, bestreiten Sie irgend etwas an der Aussage der Dame?

M: Nein, die Aussage der Dame entspricht voll und ganz den Tatsachen.

POLIZIST: Sie haben sie also nicht belästigt, sind ihr aber lästig geworden. Ich nehme an durch Gerede, an dem die Dame nicht interessiert war.

M: Ja, genau so ist es.

POLIZIST: Sie müssen ein Protokoll unterschreiben, die Aussage der Dame und Ihre schriftlich bestätigen.

M: Ja, das ist mir klar. Ich bin dazu bereit.

POLIZIST: Ich muß auch Sie, Frau Doktor, bitten, später ein Protokoll zu unterschreiben.

ANNA: Ich – es wäre mir lieber, das wäre nicht notwendig.

POLIZIST: Sie ziehen die Anzeige zurück?

ANNA: Ich habe den Herrn nicht angezeigt, ich habe Sie lediglich gebeten, mich von seiner Gegenwart zu befreien.

POLIZIST: Es liegt eine strafbare Handlung vor.

M: Nein, gnädige Frau, ich bin Anwalt und kann Ihnen versichern, daß Ihr Anruf bei der Polizei noch nicht als Anzeige zu verstehen ist.

POLIZIST: Als Anwalt werden Sie wissen, daß Ihre Auslegung zumindest strittig ist. Die Fälle von Belästigung und Hausfriedensbruch häufen sich derart, daß die Staatsanwaltschaft entschlossen ist ...

M: Ich glaube, gnädige Frau, es ist besser, wenn Sie hier ganz formell erklären, daß Sie mit Ihrem Anruf nicht gleichzeitig Anzeige erstatten wollten.

ANNA: Ja, ich erkläre das hiermit.

POLIZIST: Es genügt Ihnen also, wenn der Herr das Haus verläßt?

ANNA: Ja.

POLIZIST: Ich muß eine Eintragung ins Wachbuch machen.

M: Natürlich.

POLIZIST: Im Wiederholungsfalle ...

M: Darüber reden wir dann, wenn der Wiederholungsfall eintritt. Ich denke, wir sollten die Dame jetzt nicht länger belästigen.

POLIZIST: Auf Wiedersehen, gnädige Frau, und Sie darf ich bitten ...

M: Ja, ich komme schon. Auf Wiedersehen.

(Man hört, daß zweimal Türen geöffnet und geschlossen werden, hört die Schritte von M. und dem Polizisten, erst im

Haus, dann draußen auf dem mit Platten belegten Weg, beide bleiben stehen.)

M: Hier haben Sie meine Karte, alles steht drauf: Name, Adresse, Beruf, Telefonnummer, fehlt nur mein Geburtsdatum, ich schreib's Ihnen dazu *(kurze Pause)*, am 24. 6. 28 hier am Ort geboren.

POLIZIST *(lacht):* Ihnen ist als Anwalt sicher bekannt, daß eine Visitenkarte nicht als Ausweis gilt.

M: Natürlich, hier, mein Personalausweis

(Kurze Pause, Straßenlärm, während der Polizist Ausweis und Karte vergleicht.)

POLIZIST: Danke. Ich muß zurück zum Revier. Können wir Sie ein Stück mitnehmen?

M: Danke, mein Auto steht da vorne.

POLIZIST: Ich muß Sie noch verwarnen. Im Wiederholungsfall ...

M: Danke, ich weiß. Auf Wiedersehen.

II

(Im Freien, entfernt Straßenlärm; M. spricht immer mit ruhiger Stimme, auch in den polemischen Partien.)

PFARRER: Ach ja, jetzt erinnere ich mich. Wie war doch der Name? Martens, nicht wahr?

M: Merkens.

PFARRER: Natürlich, Merkens. Diese tragische Geschichte mit Ihrem Herrn Vater. Ja. Ich hoffe, es macht Ihnen nichts aus, mit mir im Garten zu sitzen. In meinem Alter schätzt man jede Stunde Sonnenschein. Und dieser August *(lacht)* nun, ich zögere nicht zu sagen: Er ist unserem Herrgott danebengeraten. So. *(rückt Stühle auf dem Rasen zurecht)* Wenn Sie dort Platz nehmen – ich hier, dann haben wir beide Sonne und können uns doch unterhalten. Im übrigen *(lacht)* sind wir hier vor Lauschern sicherer als in irgendeinem der Zimmer drinnen. Mein Gott, das ist ja – wie lange her?

M: Einundzwanzig Jahre.

PFARRER: Mein Gott, einundzwanzig Jahre. *(Die Haushälterin kommt mit Kaffeegeschirr aus dem Haus)* Ich denke, Sie haben nichts gegen eine gute Tasse Kaffee einzuwenden. Donnerstag hocke ich bis ein Uhr mittags in der Volksschule, von zwei bis vier wieder in der Berufsschule, und wenn ich heimkomme, ist es für einen Mittagsschlaf zu spät, und ein guter Kaffee ... *(Der Tisch wird gedeckt, Kaffee eingegossen, die Haushälterin geht zurück ins Haus)* Ja, jetzt erinnere ich mich genau. Eine böse Geschichte, und man versuchte, Ihnen die Schuld am Tod Ihres Herrn Vaters in die Schuhe zu schieben, aber ich habe damals *(etwas zu eifrig)*, ich habe heftig, wo ich nur konnte, diesem Gerede widersprochen. Es war gut, daß Sie dann weggezogen sind – und nett, daß Sie sich einmal blicken lassen. Sind Sie verheiratet?

M: Ja, aber nicht mit meiner Frau.

PFARRER *(lacht)*: Das klingt wie ein guter Scherz. Theologisch leider nicht ganz haltbar. *(leiser)* Ach, jetzt fällt mir auch das ein. *(seufzt)* Eine Tragödie; heute ... *(verstummt, trinkt Kaffee)*

M: Sie wollten sagen, heute wäre es nicht mehr zur Tragödie gekommen?

PFARRER: Nun, eh, ich denke, nein, wahrscheinlich nicht. Gerade damals, als die Konfessionen einander näherkamen, gab es unter den älteren Leuten viele, die sich verhärteten. Sie wollten ihre Position nicht kampflos preisgeben. Psychologisch verständlich, historisch nicht. Und inzwischen *(lacht)* hat unsere Kirche in der Mischehenfrage ihre Barmherzigkeit entdeckt.

M: Hübsch, daß Sie dabei lachen. Ich find's auch zum Lachen, aber Sie dürften es nicht zum Lachen finden.

PFARRER: Sie sagen das ohne jede Bitterkeit, und das ist gut. Verbitterung ist eine schlechte Ausgangsposition. Da sucht man die Schuld immer bei anderen, nie bei sich selbst. *(trinkt Kaffee, seufzt)* Es macht mich sehr glücklich, daß ich noch erleben darf, daß alles Sekundäre wirklich als solches erkannt, als solches behandelt wird.

M: Das Sekundäre war also immer sekundär, auch damals, als es für das Primäre gehalten und von Ihnen wie das Primäre verkündet wurde? Das Sekundäre hat jahrhundertelang den Alltag und das Leben derer bestimmt, die sich von einer Konfession bestimmen ließen.

PFARRER: Sie sprechen ganz frei, ich spüre in Ihrer Stimme kein Ressentiment, keine Verbitterung, und doch, *(lacht)* irgend etwas warnt mich, vorsichtig zu sein.

M: Wozu müssen Sie vorsichtig sein, wenn ich frei spreche? Denken Sie vielleicht doch an meinen Vater, der am Sekundären starb?

PFARRER *(leise):* Verzeihen Sie mir. Ich bin hier seit dreißig Jahren Pfarrer, und ich bedenke nicht bei jedem Wort, das ich spreche, alle Schicksale all meiner Pfarrkinder ... Verzeihen Sie.

M: Ich habe Ihnen nichts zu verzeihen. Ich betrachte Sie als einen Funktionär, der sich jeweils der Dialektik der Geschichte anpaßt, der aus *jeder,* aus der jeweiligen Situation seinen Optimismus nährt. Sie scheinen vergessen zu haben, daß ich vier Jahre lang Ihr Schüler war, einer der eifrigsten, den Sie je gehabt haben. Erinnern Sie sich nicht mehr, mit welch einer Leidenschaft, Logik und Überzeugungskraft ich im Kommunionunterricht das Gebot der Nüchternheit verteidigt habe? Mit einer fast schon juristischen Spitzfindigkeit?

PFARRER *(müde):* Und Sie sind dann auch Anwalt geworden, oder täusche ich mich?

M: Sie täuschen sich nicht. Ich habe täglich mit verbitterten Menschen zu tun, die am Sekundären scheitern. Ich befasse mich auch mit Scheidungen, fast täglich bin ich konfrontiert mit dem vergifteten Sakrament derer, die mit ihrem Partner nicht mehr ein Fleisch sein wollen oder sein können.

PFARRER: Sind Sie gekommen, um mir meinen Mut zu nehmen?

M: Ja, ich bin gekommen, Ihnen Ihren Mut zu nehmen. Den Mut, das Jeweilige als primär zu verkünden.

PFARRER: Es kann nicht der einzige Grund Ihres Kommens sein, mich in Skepsis zu stürzen – es wird Ihnen auch nicht gelingen.

M: Selbst wenn es mir gelänge, würden Sie nach außenhin weiter – mit Überzeugung das Sekundäre als das jeweils Primäre verkünden.

(Es entsteht eine verlegene Pause, während derer beide in ihren Tassen rühren, Kaffee trinken.)

PFARRER: Es geht Ihnen sicher gut?

M: Es geht mir glänzend. Ich habe Glück gehabt. Ich war Anwaltsassessor in einer renommierten Kanzlei. Mein Chef starb, seine Witwe bot mir die Praxis an, ich nahm die Praxis und heiratete ihre Tochter.

PFARRER: Oh, Sie haben nicht – ich meine das Mädchen, mit dem Sie damals ...

M: Ich sagte Ihnen doch schon: Ich bin verheiratet, aber nicht mit meiner Frau.

PFARRER: Selbst wenn Ihnen kirchliche Kategorien gleichgültig wären, als Jurist müssen Sie doch wissen, daß eine solche Formulierung zumindest anfechtbar ist.

M: Aber ich denke ja in kirchlichen Kategorien. Was Gott verbunden hat, soll der Mensch nicht trennen.

PFARRER: Eine merkwürdige Redeweise für einen Scheidungsanwalt.

M: Gerade als Scheidungsanwalt habe ich dauernd mit diesem Gott zu tun. Je nach Lage des Falles ist er mein juristischer Gegner oder mein juristischer Partner. Entweder Gott kämpft auf meiner Seite, oder ich kämpfe gegen ihn, je nachdem, ob mein Klient oder meine Klientin geschieden werden möchte oder nicht. Gott ist der juristische Partner der Zeugen, der Eheleute, der Richter. Nicht in allen Fällen, aber in vielen kämpfe ich für oder gegen ihn.

PFARRER *(traurig):* Mein Gott, haben Sie denn keine Grundsätze und kein Gewissen?

M: Die meisten meiner Klienten sind krank, weil sie Grundsätze und ein Gewissen haben. Manche sterben daran, entweder auf dramatische Weise, oder sie gehen einfach still zugrunde. Wenn sie kirchlich erzogen worden sind, begreifen sie nicht, daß plötzlich nicht mehr da sein kann, was ihnen als dauerhaft versprochen worden ist: das Sakrament. Man hat sie kopuliert und ihnen gesagt, das Sakrament würden sie sich selber spenden, und eines Tages fangen sie an, sich daran zu vergiften, weil sie nicht Tag für Tag ein Wunder vollbringen können. Oh, ich weiß – es gibt die Treue, es gibt die Hingabe, es gibt die Liebe, es gibt die Gewohnheit, und vor allem gibt es Kinder.

PFARRER *(traurig):* Ich frage mich wirklich, wozu Sie zu mir gekommen sind.

M: Ich war jung, und ich habe mich Grundsätzen und meinem Gewissen gebeugt. Gerade weil ich beides nicht mehr habe, interessiere ich mich für die, die es noch haben.

PFARRER: Mit Ihrem jetzigen Pfarrer haben Sie noch nie darüber gesprochen?

M: Nicht ich mit ihm, aber er mit mir. Er hat mir Vorwürfe gemacht, als ich mich mehr und mehr mit Ehescheidungen abgab, aber das ist schon lange her. Ich lebe nicht mehr bei meiner Familie.

PFARRER: Sie sind geschieden?

M: Nein, das halte ich nicht für notwendig. Meine – die, mit der ich verheiratet bin, darf nicht wollen. Sie hat Grundsätze – ich halte lediglich eine Scheidung nicht für notwendig.

PFARRER: Das verstehe ich nicht. Ich meine, ich stelle mir vor – es müßte Ihnen doch daran liegen, eine, sagen wir gewisse Ordnung herzustellen.

M: Ordnung ist da genug. Sie bekommt ausreichend Geld, die halbe Praxis gehört ohnehin ihr, als Erbteil ihres Vaters. Die Kinder sehe ich, sooft ich mag und sooft sie mögen. Ich will ja Ordnung und deshalb keine Scheidung.

PFARRER: Und wie reden Sie mit Ihren Kindern darüber? Wie mit mir?

M: Meine Kinder sind noch klein, sieben und fünf – ich versuche nicht, ihnen zu erklären, warum ich von ihnen und von ihrer Mutter weggegangen bin. Ich werd's ihnen zu erklären versuchen, wenn sie zum ersten Mal zu spüren bekommen, daß sie ein Geschlecht haben. Jetzt erzähle ich ihnen nur Geschichten – über die Opfer des Sekundären. Zum Beispiel erzähle ich ihnen die Geschichte des kleinen Alois Kochler.

PFARRER *(sehr erregt)*: Ich habe dem Jungen klarzumachen versucht, daß es keine Todsünde war.

M: Nachdem Sie ihm erst klargemacht hatten, daß es eine war.

PFARRER *(fast weinend)*: Sie werden zugeben müssen – das können Sie einfach nicht abstreiten, daß ich Tag und Nacht um das Leben dieses Kindes gerungen habe.

M: Ja, das haben Sie. Sie haben ihm ins Gewissen geredet, ich weiß, Sie haben nicht nachgelassen, aber Sie wußten nicht, wissen bis heute nicht, daß Sie es waren, der sein Gewissen so geformt hatte, daß es für ihn entscheidender war als Ihr Versuch, ihm die Todsünde auszureden. Er war ein gewissenhafter Junge, und *(leiser)* ich bin genauso schuldig wie Sie: *Ich* habe als eine Art juristisches Wunderkind das Nüchternheitsgebot ja verteidigt, ich habe es begründet, untermauert. Nur war ich elf, und Sie waren fünfunddreißig.

PFARRER: Er ist tot, er ist vergangen, und Sie müssen sich damit abfinden, daß es Entwicklungen gibt.

M: Und daß diese Entwicklungen ihre Opfer fordern, wie?

PFARRER: Ja. Von uns und von anderen. *(erregt)* Ich habe die Lehre der Kirche verkündet.

M: Ja, und das Gewissen des kleinen Alois geformt, und dann haben Sie ihm klarzumachen versucht, daß es wohl doch nicht so ernst gemeint war. Wie? Was erzähle ich meinen Kindern denn anderes, als daß es Entwicklungen gibt und daß sie ihre Opfer fordern? Ich erzähle ihnen von meiner Großmutter, die irgendwo in einem kleinen Weiler im Westerwald großgeworden ist, zwei Stunden oder zweieinhalb von der nächsten Kirche entfernt, und wie rührend es war, wenn das kleine Mädchen, das später meine Großmutter wurde, zweieinhalb Wegstunden im Winter zur Kirche ging, durch den hohen Schnee, und das dauerte mit allem Drum und Dran – bis dreieinhalb Stunden, ehe sie kommunizieren konnte, und noch einmal zwanzig Minuten, bis die Messe zu Ende war, und dann erst durfte sie ein Stück Brot essen und einen Schluck Milch trinken, von dem, was ihre Mutter mitgenommen hatte, und ging zweieinhalb Stunden durch den Schnee zurück, bevor sie ein Frühstück bekam. Was tue ich also anderes, als den Kindern erzählen, wie Entwicklungen verlaufen, und wie sekundär das Sekundäre ist.

PFARRER: Sie vergiften die Seele Ihrer Kinder, indem Sie die Autorität der Kirche untergraben. Kinder können das nicht begreifen.

M: Das sollen sie auch nicht, sie sollen es unbegreiflich finden. Ich hoffe, ich untergrabe die Autorität der Kirche. Den Kindern fällt natürlich auf, daß sie vor der Kommunion trinken dürfen, was sie wollen: Kakao, Milch, Bouillon – und daß ihre Urgroßmutter das alles nicht durfte.

PFARRER: Es könnte sich so fügen, daß Sie, ohne es zu wollen, Ihren Kindern ein Beispiel für die Barmherzigkeit der Kirche liefern.

M: Oh, ich versuche es so einzurichten, daß es als ein Beispiel der Unbarmherzigkeit der Kirche begriffen wird.

PFARRER: Dann müßten die Kinder Ihrem Einfluß entzogen werden.

M *(lacht)*: Das ist zu spät. Meine Kinder hören solche Geschichten gern. Ich schmücke sie gehörig aus und mache sie spannend. Außerdem versuche ich, meinen Kindern klarzumachen, daß Gott der Rechtspartner der Kirche ist, zu der wir alle gehören und in die wir alle gehen.

PFARRER: Sie etwa auch?

M: Natürlich. Ich brauche das. Es ist der Habitus, der Rhythmus auch. Diese Unruhe an Sonntagen, wie wenn man wach liegt und auf das Ablaufen des Weckers wartet, und die Worte, die man da hört, wirklich, schöne Worte, und das Brot, das man bekommt, oh, ich bin da gern, und ich denke dann an meine Frau ... *(kurze Pause, in der die stumme Frage des Pfarrers spürbar wird)* Ja, an meine Frau, mit der ich nicht verheiratet bin, weil ich jung war, dumm, mich Grundsätzen, Ratschlägen, meinem Gewissen und Erpressungen beugte.

PFARRER: Sie sind also zu mir gekommen, Ihre eigene Dummheit zu beklagen.

M: Nein, ich klage nicht und beklage nicht. Es war *meine* Dummheit, nicht Ihre. Sie waren nur das Instrument einer noch nicht entdeckten Barmherzigkeit, die auch heute keine ist.

PFARRER: Es ist Blasphemie, daß Sie das Sakrament nehmen. Man sollte ... *(bricht ab)*

M: Man sollte es mir verbieten, wollten Sie sagen, nicht wahr? Selbst wenn Ihnen das gelänge, ich würd' es mir irgendwo holen, ich würde es bekommen, Sie können nicht allen Pfarreien meinen Steckbrief schicken, im übrigen bezahle ich meine Steuern wie jeder andere, korrekt und pünktlich. *(leiser)* Begreifen Sie denn nicht?

PFARRER: Was sollte ich begreifen?

M: Begreifen Sie nicht, daß Nichts entsteht, wenn zu Nichts wird, was einer so eifrig verteidigt hat? Diese Angst beim Zähneputzen vor der Kommunion wegen des strikten Nüchternheitsgebots, und plötzlich: nichts. Die blassen Mädchen und die sensiblen Jungen, die plötzlich ohnmächtig wurden, dieser leicht erotische, mit Hysterie gemischte Hauch von Askese, und plötzlich mit einem Federstrich, ohne jegliche Begründung, werden die Leiden und Freuden, wird der asketische Heroismus von Generationen ausgelöscht, für nichtig erklärt? Begreifen Sie wirklich nicht, daß der Alltag, was bedeutet: das Leben, aus dem Sekundären besteht *(ernst)* – wie? Und dann liebte ich eine, die evangelisch war, und mein Vater trat in den Hungerstreik. Er hungerte zu lange. Magengeschwüre. Magenkrebs! Tot. Und ihr Vater warf sie aus dem Haus, weil ich katholisch war. Wir mieteten uns ein Zimmer. Damals nannte man das noch einen Skandal. Immerhin begingen wir nicht einmal Ehebruch, und ich begehrte nicht einmal meines Nächsten Weib, sondern mein eigenes. Ich begehre sie noch heute. Heute wird das, was man damals einen Skandal nannte, von Ihnen und offenbar auch von Ihrem Gott nicht mehr für so wichtig gehalten. Dann drohte *ihr* Vater mit Selbstmord, als wir heiraten wollten, und als ihr Vater dann wirklich einen Selbstmordversuch unternahm, rieten Sie uns zur Vernunft. Leider war sein Selbstmordversuch vergeblich.

PFARRER: Das sollten Sie aber wohl doch nicht sagen!

M: Warum nicht? Sie, Sie haben mich doch auf das Sekundäre aufmerksam gemacht, und ich habe nicht einmal Mitleid mit meinem Vater und kein Fünkchen Mitleid mit mir selbst. Der eine starb, weil sie evangelisch war, und der andere starb fast, weil ich katholisch war.

PFARRER: Extrem ungünstige Umstände.

M: Ja, extrem ungünstig.

PFARRER: Sie sollten nicht dem Gott der Erinnerung und der Vergangenheit nachbeten.

M: Ich denke ja nur an die Gegenwart. Was damals Zukunft war, ist heute Gegenwart. Das Heute des kleinen Alois Kochler, der ins Wasser ging, ist für uns Vergangenheit, für ihn ist es immer noch Gegenwart. Er hielt sich für verdammt. Sie denken nie an die, für die die Vergangenheit Gegenwart war und für die die Zukunft Gegenwart sein wird, für die einmal offenbar werden wird, daß auch dieses Heute, diese Gegenwart voller Sekundärem ist.

PFARRER: Ihre Spitzfindigkeiten fangen an, mich zu langweilen. Ich bin weder Jurist noch Fachtheologe, ich bin ein Pfarrer, ich habe hier und habe heute meines Amtes zu walten. Sagen Sie mir, was Sie wirklich von mir wollen. Ich bin ein alter Mann und habe einen schweren Tag hinter mir.

M: Ich will nichts von Ihnen. Ich wollte Sie mir nur anschauen und mich vergewissern, daß es Ihnen gut geht. Ich wollte mich auch mit dem konfrontieren, der mir zur Vernunft geraten hat. Dieser Vernunft, die aus einer Kombination von Grundsätzen und Gewissen besteht, habe ich mich gebeugt. Eine Leiche und noch eine dreiviertel Leiche auf der Schwelle unseres Liebesnestes, das machte uns Angst, und wir trennten uns. Anna wurde zwei Jahre lang vor mir versteckt, wahrscheinlich eingesperrt, ich hab' das noch nicht heraus. Man ließ sie erst frei, als ich mit einer anderen verheiratet war. Ich habe fleißig studiert, Examen gemacht – langweile ich Sie?

PFARRER: Nein, nein, reden Sie nur.

M: Ich habe die Kanzlei bekommen, die Tochter meines Chefs geheiratet. Sie war hübsch und lebenslustig, tanzte gern, und sie wollte mir das, was ich von ihr haben wollte, nicht geben, wenn ich sie nicht heiratete. Ihre Grundsätze schlossen Barmherzigkeit aus, ich hatte zwei Jahre mit einer Frau gelebt, die ich nirgendwo wiederfinden konnte, dann zwei Jahre ohne eine Frau. Standesamtlich getraut, kirchlich, Kinder. Es kommen natürlich Krisen, aber das renkt sich ein, schon wegen der Kinder. Und Kirchgang und Nachbarschaft und Gewohnheit, und Ordnung muß ja wohl sein. Und so schlimm ist es ja gar nicht, sie ist ja immer noch hübsch und macht im Haushalt alles nett, richtig nett, und die Kinder freuen sich ihres Lebens. Spielsachen, Spielkameraden. Auch in der Schule klappt's, und mit dem Geld, das klappt auch. An Sommernachmittagen amüsieren sich die Kinder ums Schwimmbassin herum mit dem Wasserschlauch und die, mit der man verheiratet ist, sitzt da im Badeanzug und strickt, und lächelt. Weil die Kinder so glücklich sind, und plötzlich fällt einem ein, daß man immer und immer an die andere denkt. Und dann geht man weg, einfach weg von der, mit der man verheiratet ist, von den Kindern, den Nachbarn, von dem großen Auto, man nimmt sich das kleine Auto und geht weg. Aus heiterem Himmel und denkt nur noch an die Frau, mit der man nicht verheiratet ist, denkt daran, daß Vergangenheit und Zukunft Gegenwart sind, an die Zukunft denkt man nur wie an eine Gegenwart, die noch nicht ist, und man denkt an diesen Gott, der manchmal Rechtspartner ist, manchmal Rechtsgegner. Klingt das nach Tragödie?

PFARRER *(unruhig):* Nein, es klingt eher wie eine Definition des Stumpfsinns. Noch Kaffee?

M: Ja, gern. *(Kaffee wird eingegossen)* Dabei ist es nur eine Definition der Ehe. Schließlich, nach sehr langem Suchen, findet man seine Frau. Als Scheidungsanwalt hat man natürlich gute, geübte, diskrete Rechercheure an der Hand. Wissen Sie, wo man sie findet? Sie sitzt an einem Sommernachmittag im Garten und strickt. Im Badeanzug sitzt sie da, während ihre Kinder sich ums Schwimmbecken herum mit dem Gartenschlauch amüsieren. Ein Junge, ein Mädchen. Sie sieht immer noch gut aus. Das ist aber merkwürdigerweise nicht entscheidend. Sie ist einfach sie, und *(lacht)* – wissen Sie das Ende der Geschichte? Was Gott verbunden hat, soll der Mensch nicht trennen. Nicht durch Hungerstreik, nicht durch Selbstmordversuche, nicht durch Vernunft.

PFARRER: Sie werden Unheil anrichten und werden finden, was Sie verlassen haben: Langeweile.

M: Das ist eine überraschende Antwort für jemanden, der so viele Menschen kopuliert hat, aber eins wird Sie überraschen: Wenn es *ihre* Langeweile ist, will ich sie gern mit ihr teilen. Es ist nur inzwischen etwas sehr Komisches passiert, *(lacht)* etwas sehr Überraschendes. Sie ist katholisch geworden. *(lacht schallend)* Ist das nicht ein Witz?

PFARRER: Ich kann das Scherzhafte an dieser Feststellung nicht entdecken.

M: Ich wohl. Ihr Vater hat's nämlich überlebt. Er hat keinen Selbstmordversuch unternommen. Im Gegenteil, er ist nahe daran, selbst zu konvertieren.

PFARRER: Wie können Sie solche Details herausfinden?

M: Ich habe doch meine Rechercheure, unfreiwillige auch, sogar unter Ihren Confratres. Vergessen Sie nicht: Ich bin nicht geschieden. Ich gehe in die Kirche, ich zahle Steuern. Ich lebe von der, mit der ich verheiratet bin, getrennt – das gilt heute fast als schick und sogar als kirchlicherseits akzeptable Lösung. Ich begehe nicht einmal Ehebruch. Ich will nur meine Frau, von der ich zu lange getrennt war. Viel zu lange. Es ist nicht gut, daß der Mensch allein sei.

PFARRER: Sie werden Unheil anrichten. Ich werde – werde – dieses Unheil zu verhüten suchen.

M: Werden Sie? Werden Sie den kleinen Alois Kochler zum Leben erwecken und ihm zuflüstern: Es war doch alles sekundär, Junge, alles sekundär, warum bist du mit deinem kleinen Gewissen ins Wasser gegangen? Werden Sie meine Mutter, meinen Vater, meine Großeltern wieder zum Leben erwecken, die jedesmal, wenn sie beim Zähneputzen Wasser geschluckt hatten, das Brot *nicht* aus Ihrer Hand genommen haben? Was also werden Sie?

PFARRER: Ich fordere Sie auf, mein Haus, meinen Garten, mein Grundstück zu verlassen, zum ersten, zum zweiten, zum dritten Mal.

M *(lacht)*: Ich gehe ja schon. Ich muß achtgeben. Der Polizist hat mir gesagt: Im Wiederholungsfalle. Also, auf Wiedersehen. Dank für den Kaffee! *(Man hört, wie M. lachend durch den Garten ins Haus geht, hört ihn dann noch im Haus lachen)*

III

(Akustik eines kleinen geschlossenen Raumes.)

KUCKERTZ: Ich begreife jetzt, warum du nicht hierherziehen wolltest.

ANNA: Es hätte nichts geändert, wenn wir in Paris geblieben wären.

KUCKERTZ: Aber er war doch der Grund, warum du nicht hierher wolltest?

ANNA: Ja. Ich dachte, es ließe sich verstecken, vergessen, aufschieben, wegschieben. Es ist gut, daß wir hergezogen sind. Ich wollte auch, daß du die Chance wahrnimmst, die sie dir hier geboten haben. Du wirst es noch viel weiter bringen.

KUCKERTZ: Du sagst das ohne Ironie und Bitterkeit.

ANNA: Ich sehe keinen Grund und habe keinen Anlaß, ironisch oder bitter zu dir zu sein. Ich habe nicht den Wunsch, dir weh zu tun.

KUCKERTZ: Du sprichst wie im Traum. Du sprichst, als wärst du sehr weit weg.

ANNA: Ich bin weit weg.

KUCKERTZ: Aber du hörst mich?

ANNA: Ja, ich höre jedes Wort, das du sagst.

KUCKERTZ: Es geht nicht ewig so weiter, Anna. Heute oder morgen muß ich ihn verklagen. Man spricht schon lange darüber. Ich kann es mir einfach nicht mehr leisten, die Sache zu ignorieren.

ANNA: Steht es deinem Weiterkommen im Weg?

KUCKERTZ: Ja. Findest du es schäbig, daß ich dieses Argument vorbringe?

ANNA: Nein. Es wäre sinnlos, wenn deine Ernennung daran scheiterte. Steht deine Ernennung schon bevor?

KUCKERTZ *(lacht):* Du weißt, wie das ist: Offiziell wird nicht darüber gesprochen, aber inoffiziell erfahre ich's aus allen – allen Leitungen, *(lacht)* und jeder weiß ja, daß Bross in zwei Monaten in Pension geht. Aber selbst wenn meine Ernennung nicht bevorstünde, Anna – selbst wenn ich ein kleiner Angestellter wäre, ein Arbeiter: ich könnte eine solche Sache nicht ignorieren. Ich kann sie als Mann nicht ignorieren. Ich kann nicht die Post bitten, seine Briefe nicht mehr zu befördern. Ich kann nicht sämtliche Blumengeschäfte der Stadt bitten, seine Aufträge nicht mehr anzunehmen.

ANNA: In den ersten Tagen habe ich sie einfach zurückgeben lassen. Dann haben die Boten angefangen, sie vor die Tür zu legen – dort lagen sie und verwelkten, die Kinder haben gelacht und damit gespielt. Dann habe ich angefangen, sie anzunehmen, weil es der einfachste Weg war, sie verschwinden zu lassen. Ich konnte nicht anders handeln, als ich gehandelt habe.

KUCKERTZ: Ich mache dir keine Vorwürfe. Es ist auch gut, daß du die Polizei nicht mehr gerufen hast *(seufzt)* – vor hundertfünfzig Jahren noch hätte es einen Weg gegeben: *(kurze Pause)* ein Duell.

ANNA: Duell – das wäre keine Lösung. Wäre auch nie eine gewesen. Ich möchte nicht, daß du stirbst oder auch nur verletzt wirst.

KUCKERTZ: Und er – möchtest du, daß er stirbt oder verletzt wird?

ANNA *(schweigt auffallend lange):* Wahrscheinlich möchte er gern sterben. Er ist voll Leben und voll Tod. Ich kenne ihn.

KUCKERTZ: Kennst du mich nicht?

ANNA *(schweigt, nicht so lange wie vorher):* Nicht so wie ihn.

KUCKERTZ: Wir sind zwölf Jahre verheiratet, Anna.

ANNA: Ich weiß.

KUCKERTZ: Er benimmt sich wie ein Junge, er macht sich lächerlich, aber seine Lächerlichkeit fällt verdoppelt auf mich zurück.

ANNA: Er war ein Junge, als wir miteinander lebten, und

immer, wenn ich ihn sehe, sehe ich den Jungen, der er einmal war.

KUCKERTZ: Er ist vierzig, und man sieht es ihm an.

ANNA: Ich bin vierzig, und man sieht es mir an.

KUCKERTZ: Du – liebst ihn also immer noch?

ANNA: Ich weiß nicht. Ich mag das Wort nicht. Ich weiß nur, daß ich mich freue, wenn ich ihn sehe, und seitdem ich ihn wiedergesehen habe, lebe ich rückwärts, ich lebe sein Leben rückwärts und meins, und suche den Punkt, den Augenblick, wo wir voneinander getrennt wurden, einander verloren haben. Hast du nie rückwärts gelebt, dir nie ein anderes Leben vorgestellt als das, das du gelebt hast?

KUCKERTZ: Nein, Anna. Ich bin glücklich, und alles, was ich tue, tue ich geradeaus – ich meine, ohne rückwärts zu blicken. Vielleicht täusche ich mich, vielleicht bin ich ein Heuchler, einer, der sich was vormacht.

ANNA: Nein. Du bist kein Heuchler und täuschst dich nicht. Und wir mußten hierherziehen, du mußtest die Chance wahrnehmen und du mußt Bross' Nachfolger werden. Es ist dein Leben, und du mußt es leben.

KUCKERTZ: Ohne dich oder mit dir?

ANNA: Ich werde warten, bis du ernannt bist. Du bist klug, und dir steht dieser Posten zu.

KUCKERTZ: Dann muß ich ihn verklagen.

ANNA: Verklag ihn. Ich warte. Wie lange kann es dauern, bis du ernannt bist?

KUCKERTZ: Nicht länger als eine Woche. Aber dein Warten – worauf wartest du? Daß ich dich dann freigebe?

ANNA: Ich mag das Wort nicht: frei. Ich weiß, was mit dem Wort gemeint ist, aber das Wort mag ich nicht.

KUCKERTZ: Du hast mir keine Antwort gegeben.

ANNA: Ich kann dir keine Antwort geben.

KUCKERTZ: Habe ich irgend etwas versäumt – habe ich etwas getan, das dir – ich meine ...

ANNA: Nein. Keiner hat etwas versäumt. Du nicht, er nicht.

Wir sind alle anständig zueinander gewesen. Du zu mir, ich zu dir, er zu seiner Frau, seine Frau zu ihm.

KUCKERTZ: Wie kannst du das wissen?

ANNA: Ich kenne ihn.

KUCKERTZ: Aber du kennst seine Frau nicht.

ANNA: Nein. Ich kenne sie nicht. *(nach einer kurzen Pause)* Einmal habe ich sie gesehen, zufällig, neulich bei Perz, bei diesem Kleriker. Erinnerst du dich an die hübsche, ziemlich Große, mit dem rötlichen Haar und dem lustigen Mund?

KUCKERTZ: Die? Natürlich, Frau Merkens. Aber die sieht doch sehr gut aus, sie ist doch – mein Gott, ich hab mich sogar mit ihr unterhalten. Sehr nett. Ganz vernünftig. Sehr rheinisch.

ANNA: Sie ist viel hübscher als ich, findest du nicht?

KUCKERTZ: Objektiv ja. Eine gute Erscheinung, sehr natürlich, sogar gescheit – und sympathisch.

ANNA: Ja, und so lebhaft.

KUCKERTZ: Ihn trifft man nirgendwo. Bist du böse, wenn ich sage: Gott sei Dank.

ANNA: Ich bin nicht böse. Ich möchte ihn nicht irgendwo treffen, wo man so eingeladen ist. Ihn lädt auch keiner ein. Du brauchst keine Angst zu haben, daß du ihm begegnest.

KUCKERTZ: Er ist wohl sehr menschenscheu und nicht – ich meine, wohl nicht sehr beliebt?

ANNA: Er ist weder menschenscheu noch unbeliebt, nur *(Pause, kurzes, fast hysterisches Lachen)* – er zerstört, weil er liebt – ja, jetzt sag' ich das Wort.

KUCKERTZ: Er wird auch seine Praxis zerstören.

ANNA: Er wird wieder arbeiten, und seine Frau würde die Praxis schon retten, sie ist klug, und wie du gesagt hast, sehr rheinisch.

KUCKERTZ: Bist du eifersüchtig auf sie?

ANNA: Nein. Meine Eifersucht ist viel schlimmer. Ich bin eifersüchtig auf den Bleistift, mit dem er mir Briefe schreibt; auf jede Zigarette, die er raucht, bin ich eifersüchtig. Ich bin nicht eifersüchtig auf seine Kinder, aber auf den Kaffee, den er trinkt.

KUCKERTZ: Das klingt – ich weiß nicht, Anna, es macht mir Angst.

ANNA: Mir auch. Verstehst du jetzt, daß Freiheit, Liebe, Scheidung mir wie dumme Worte vorkommen? Auch Schuld ist ein dummes Wort.

KUCKERTZ: Warum – warum bist du denn meine Frau geworden?

ANNA: Ich bin nicht deine Frau. Ich habe dich geheiratet, aber ich bin nicht deine Frau.

KUCKERTZ: Ich schreib's deinem Traum zu. Ich begreif's nicht, ich begreife auch nicht, daß du zu unserer Kirche übergetreten bist.

ANNA: Nein? Ich begreif's immer mehr. Ich bin in euch, und ihr seid in mir. Mit ihm und in ihm und durch ihn. Hast du das nie gehört?

KUCKERTZ: Doch. Ich hab's nie auf Menschen bezogen.

ANNA: Beziehe es auf Menschen, und du wirst wissen, was zu verstehen ist, wenn ich sage: Er ist in mir und ich bin in ihm. Wir sind eins. Wir sind immer eins gewesen. Ein Fleisch. Begreifst du?

KUCKERTZ: Nein. Er ist kirchlich verheiratet, und wir sind's, und es muß, es muß, Anna, ein Recht geben.

ANNA: Und Ordnung?

KUCKERTZ: Ja.

ANNA: Er will ja nichts anderes, als Ordnung wiederherstellen.

KUCKERTZ: Das ist eine zerstörerische Ordnung.

ANNA: Ja.

KUCKERTZ: Was wird dein Vater sagen?

ANNA *(lacht)*: Vielleicht wird er sich jetzt vergiften, weil ich mich gegen die Kirche stelle, die er bis vor drei Jahren noch gehaßt hat.

KUCKERTZ: Du sagst das, als wär's dir gleichgültig.

ANNA: Sein Vater und mein Vater haben die Ordnung zerstört, die wir beide uns gegeben haben, und *(schweigt eine kurze Zeit)* alles, was geschieht, geschieht entweder zu früh oder zu spät.

KUCKERTZ: Du hast noch nie so mit mir gesprochen.

ANNA: Ich habe überhaupt noch nie mit dir gesprochen.

KUCKERTZ: Du bist verrückt, und du wirst sehr unglücklich sein. Du kannst diesen Traum nicht zu Ende träumen, Anna.

ANNA: Vielleicht. Vielleicht auch nicht. Ich muß ihn träumen, um zu wissen, ob ich ihn zu Ende träumen kann. Vergiß sie nicht, Klage einzureichen gegen Herrn Merkens und sag mir, wenn deine Ernennung ausgesprochen ist.

KUCKERTZ: Du bist doch glücklich mit mir gewesen.

ANNA: Ja. Wirklich. Das Schlimme ist, daß ich lieber mit ihm unglücklich sein will als mit dir glücklich. *(freundlich)* Bitte, verlaß jetzt mein Zimmer.

KUCKERTZ: Du kannst doch nicht ...

ANNA: Bitte, geh. Ich bitte dich, zu gehen.

KUCKERTZ: Es ist mein Recht ...

ANNA: Du hast kein Recht auf mich, nicht einmal er hat ein Recht auf mich. Es geht nicht um Rechte. Geh jetzt bitte.

(Eine Tür wird geöffnet und geschlossen.)

IV

(Akustik wie in Szene II)

PERZ: Seine Argumente haben nicht nur etwas für sich, sie sind sogar im Ansatz richtig.

PFARRER: Nur im Ansatz. Du kannst doch nicht im Ernst erwägen, seinen Antrag zu befürworten?

PERZ: Ich denke nicht daran, den Antrag zu befürworten, aber er hat ihn gestellt, und ich muß mich damit beschäftigen.

PFARRER: Gewöhnlich habt ihr's nicht so eilig.

PERZ: Dieser Fall interessiert mich. Vergiß nicht, daß ich Jurist bin.

PFARRER: Als Jurist wirst du doch wohl zugeben, daß es lächerlich ist, die Negierung des Rechts zum Gegenstand einer Rechtsklage zu machen.

PERZ: Besonders lächerlich, weil er nur *innerhalb* der kirchlichen Rechtsbarkeit klagen kann. Es ist so absurd, wie wenn jemand, der exkommuniziert wäre, sich einen Anwalt nähme, um die Rechtlichkeit der Exkommunikation anzufechten.

PFARRER: Wenn er einen Kirchenrechtler für sich gewänne ...

PERZ: Genau das versucht er. Er studiert fleißig Kirchenrecht, hat sich bei Lompertz als Student eingeschrieben.

PFARRER: Das ist aber doch – ich meine Lompertz wird doch ...

PERZ: Es ist *fast* aussichtslos, daß er durchkommt, aber nicht *ganz*. Im übrigen würde es Jahre dauern, und es gibt natürlich tausend Möglichkeiten, eine solche Sache zu retardieren, zu frustrieren, aber wir wollen uns nicht täuschen, Paul, er versucht einen klugen Weg, den Weg von *innen*, nicht von außen. Stünde er außen ...

PFARRER: Dann müßt ihr alles tun, ihn nach draußen zu drängen. Ich meine ...

PERZ: Ich sehe keinen Ansatzpunkt. Er lebt zwar von seiner Frau getrennt, er führt aber nicht den Lebenswandel eines öffentlichen Sünders, und was er auch an Verrücktheiten von sich geben mag, es sind Verrücktheiten *innerhalb*.

PFARRER: Ich kann bezeugen, daß er geradezu blasphemische Äußerungen getan hat.

PERZ: Die hat er zurückgenommen. Schriftlich. Er hat sich auf sein Gespräch mit dir bezogen und – so nannte er es – gewisse Äußerungen – bedauert. Im übrigen schreibt er, er hätte sie gebeichtet – und da stehen wir vor einer Mauer. Außerdem ist etwas sehr, sehr Peinliches passiert. *(kurze*

Pause) Seine Frau hat einen Liebhaber, zwar diskret und mit der Vorsicht, die den Kindern und der Umwelt gegenüber geboten ist, aber sie hat einen, und er weiß es, er hat sogar Beweise, ich habe sie ihm gegeben.

PFARRER: Aber dann ist doch alles in Ordnung: Er kann sich scheiden lassen, und sie ... *(bricht ab)*

PERZ *(lacht):* Und du meinst, sie kann wieder heiraten? Das könnte sie, wäre sie nicht eine geborene Blum. Es wäre nicht gut, wenn eine Blum sich scheiden ließe und dann wieder heiratete. So ist sie zwar eine Sünderin, aber keine geschiedene Frau, die wieder heiratet. Die Sache ist sehr kompliziert.

PFARRER: Aber dann, dann wäre es ja fast die beste Lösung, du würdest – würdest seinen Antrag auf Annullierung der kirchlichen Trauung mit mehr Wohlwollen prüfen, als wir bisher für richtig hielten.

PERZ: Oh, so einfach ist es dann nun doch nicht. Nicht *ich* allein entscheide das, und es wird ja nicht nur nach taktischen Gesichtspunkten vorgegangen. Die Sache ist ernst, mein Lieber, todernst, glaub's mir, ein solcher Fall würde – nun, du weißt, welche Lawine von Laisierungsanträgen auf uns niedergegangen ist, seitdem wir die Laisierung erleichtert haben. Stell dir vor, welch eine Lawine von Annullierungsanträgen wir erwarten können, wenn jeder Mann, der seine Jugendgeliebte wiederhaben will, der sein Zusammenleben mit ihr als sakramentale Gemeinschaft bezeichnet – wenn sie alle mit ihren Annullierungsanträgen kommen. Und außerdem gibt es ja da noch die kirchlich geschlossene Ehe Kuckertz, die wir konsequenterweise dann auch annullieren müssen.

PFARRER: Natürlich. Nein, das geht nicht. Schade, daß seine Frau diese Torheit begeht.

PERZ: Sie ist ein junges, attraktives, vitales Wesen. Ich fürchte, sie wird eines Tages die Scheidung einreichen. Dann sind wir auch das Vorbildhafte des Namens Blum los.

PFARRER: Und Kuckertz' Frau?

PERZ: Hält sich vollkommen zurück. Er hat Klage gegen Merkens eingereicht, bereut es aber schon, denn es ist – es ist natürlich peinlich für ihn, die Tatsache, daß einer seine Frau so leidenschaftlich verehrt – zum Gegenstand einer Klage zu machen.

PFARRER: Man müßte diesen Martens abschießen.

PERZ: Du meinst Merkens. Wir leben *(lacht schallend)* in einer freien, pluralistischen Gesellschaft, die dir so am Herzen liegt.

PFARRER: Es muß einen Weg geben, ihn nach *außen* zu drängen.

PERZ: Ich sehe keinen.

PFARRER *(leise):* Es könnten Zeugen gegen ihn auftreten.

PERZ: Es hat keinen Sinn. Sie müßten ihn schon der Sodomie nicht nur verdächtigen, sie müßten sie ihm auch nachweisen können.

PFARRER: Es muß etwas gegen ihn geschehen. Ist er nicht exkommunikabel, weil er Scheidungsanwalt ist?

PERZ: Er ist nicht mehr Scheidungsanwalt. Auch das hat er schriftlich bereut.

PFARRER: Er wird Unheil anrichten.

PERZ: Du solltest das nicht dramatisieren. Du nimmst es zu persönlich. Er kann gar kein Unheil anrichten, weil er mit seinem törichten Antrag nicht durchkommt. Nun sag mir einmal, wie war das eigentlich mit ihm und dieser Anna Wulf, du erinnerst dich doch hoffentlich genau. Ich brauche deine Aussage dann später schriftlich.

PFARRER *(leiser):* Ja, ich erinnere mich. Ich hatte es vergessen, aber seitdem er bei mir war, fallen mir immer mehr Einzelheiten ein. Nun, unter uns gesagt: Die beiden hätten verheiratet werden sollen. Sie waren dummerweise nicht großjährig. Ich hätte sie fast getraut.

PERZ: Du hättest sie fast getraut?

PFARRER: Ja. Du weißt, nach dem Krieg waren wir alle in einer gewissen Staat-und-Kirche-Trennungseuphorie, es war auch ein bißchen Schwärmerei dabei. Nun, sein Vater war ein aufrechter, tapferer Mann, politisch makellos – Mischehengegner, wie ich auch. Ich hab's gepredigt. Er war Lehrer an der katholischen Schule, und ihr Vater war Lehrer an der evangelischen Schule. Natürlich waren's bei beiden Vätern Vorurteile: Bei seinem Vater war's antipreußischer Haß – er hatte seine Gründe dazu, *sein* Vater war unter Bismarck im Kerker. Bei ihrem Vater waren die üblichen antirheinischen Vorurteile: schmutzig, arm, katholisch, abergläubisch usw. ... nun, es war hoffnungslos, und die beiden, die beiden jungen Leute, sie gehörten einfach zusammen. Ich kann's dir nicht anders sagen: Sie gehörten zusammen.

PERZ: Du bist dir doch klar darüber, daß du hier ein Plädoyer für seinen Antrag hältst?

PFARRER: Ja. Ich kann nicht anders. Mich hat's damals mitgenommen. Den Rest kennst du.

PERZ: Ja, Hungerstreik, der sich als eine Art des Selbstmords herausstellte, und ein handfester Selbstmordversuch.

PFARRER: Ja. Dann sind sie auseinandergegangen, und man hat – man hat – das weiß Merkens noch gar nicht – das Mädchen eingesperrt, versteckt. Man hat auf die Zeit vertraut.

PERZ: Die Zeit ändert sich nicht, nur die Zeiten ändern sich. Vorgestern ist ihr Vater katholisch geworden.

PFARRER *(seufzt):* Und Kuckertz? Bekommt ihr ihn durch?

PERZ: Er ist schon durch. Der beste Mann, den wir finden können.

PFARRER *(leise):* Ich kenne diesen jungen Merkens, seitdem er sechs ist, er war mein Schüler, mein bester; kein frommer Junge, aber mein bester Schüler. Wenn's einen Weg der Barmherzigkeit gäbe ...

PERZ: Er will nicht Barmherzigkeit, er will Recht.

PFARRER: Daran wird er scheitern.

PERZ: Ja. Er wird zehn, er wird zwanzig Jahre gegen einen Fels anrennen. Wir könnten seine Ehe möglicherweise –

ich sage möglicherweise – annullieren, aber nicht gleich zwei, und weil wir zwei annullieren müßten, wenn wir seine annullieren, muß er scheitern, er muß.

PFARRER: Was wird seine – was wird Frau Kuckertz tun?

PERZ: Vollkommen undurchsichtig. Wenn das stimmt, was du sagst, wird sie wohl zu ihm zurückgehen, sobald Kuckertz die Ernennung schriftlich hat.

PFARRER: Du meinst, sie wartet nur so lange?

PERZ: Ich habe sie kennengelernt. Innerhalb der vergangenen drei Wochen war sie dreimal mit ihm bei mir. Ich mußte Kuckertz ja unauffällig präsentieren, sozusagen vorstellen – sie ist – sie ist mir unheimlich.

PFARRER: Er auch. Ich habe Angst.

PERZ: Ich habe keine Angst. Wenn sie sich zurückhält, bis Kuckertz' Ernennung amtlich ist. Sie werden nicht glücklich sein, diese beiden.

PFARRER: Glücklich? Ich weiß nicht, ob ihnen daran liegt. Jetzt, wo du's sagst, fällt mir ein: Glücklich – das Wort hätte ich nie auf die beiden verwendet, aber sie gehörten zusammen.

V

(Akustik wie Szene III)

MARIA MERKENS: Er wird keinen Gebrauch davon machen.

BUSCH: Wenn's darauf ankommt, doch, vergiß nicht: Er ist Anwalt.

MARIA: Er würde es schon der Kinder wegen nicht tun – und auch meinetwegen nicht. Nein, mich den Kindern als Ehebrecherin präsentieren ...

BUSCH: Nach seiner Theorie bist du keine Ehebrecherin.

MARIA: Nein, so wie er nach seiner Theorie keiner ist. Und doch würde es in einem Scheidungsprozeß so genannt werden müssen, und er weiß schon, daß er mit seiner

Theorie und seinem Wortschatz nicht vor Gericht gehen kann.

BUSCH: Dann mußt du ihn wegen Ehebruchs verklagen.

MARIA: Das kann ich doch nicht tun, ich kann doch nicht gegen ihn ein Argument anführen, das er gegen mich nie anführen würde.

BUSCH: Wenn du mir seine Theorie richtig erklärt hast, dann müßte er einsehen, daß *du* das Argument anführen kannst.

MARIA *(schweigt kurz, denkt nach, dann müde):* Ja, das verstehe ich sogar, aber ich kann nicht – ich will nicht. Red nicht mehr drüber, bitte.

BUSCH: Ich bin nicht verheiratet, Maria, und ich möchte – ich will dich zur Frau. Ich sehe nicht ein, daß wir diese Heimlichkeit aufrechterhalten, von der inzwischen doch viele wissen. Er hat dich vor zweieinhalb Jahren einfach verlassen – nenn es böswilliges Verlassen ...

MARIA: Es war nicht böswillig. Erspar mir Details. Du hast mir versprochen, nie mit mir von meiner Ehe anzufangen. Es mag sein, daß er verrückt ist – ich weiß es nicht. Es ist auch nicht leicht für mich gewesen, daß er einfach wegging und mir dann lange Briefe schrieb, um es mir zu erklären. Ich hab's auch nie recht verstanden, was er wirklich will, was er meint und wohin er sich begibt. Und doch: Ich respektiere es. Und eins kann ich nie: gegen ihn klagen. Er muß wohl einen Weg gehen, von dem er nicht weiß, wohin er führt. *(leiser)* Ich habe nie versucht, ihn zu irgend etwas zu zwingen aufgrund von Rechten, die ich wirklich hatte.

BUSCH: Du hast ihn immer noch gern.

MARIA: Ja. Ich habe fünfzehn Jahre mit ihm gelebt, und er war nicht einmal, nicht ein einziges Mal war er unhöflich zu mir.

BUSCH: Bis er einfach wegging und dich allein ließ.

MARIA: Es hat keinen Zweck, wenn du versuchst, mich gegen ihn aufzuhetzen. Ich werde nie mit ihm vor Gericht gehen. Was wir miteinander zu regeln haben, da genügen mündliche Abmachungen – hin und wieder ein Notar, wenn's um Geld und um die Kanzlei geht. Ich hab' keine Angst, daß er mich betrügt.

BUSCH: Und du läßt ihn einfach die Kinder sehen, sooft er mag.

MARIA: Ja. Es sind seine Kinder, wie sie meine sind. Quäl mich nicht mit Fragen. Ich bin ja zu dir gekommen – warum willst du mich unbedingt heiraten?

BUSCH: Ich möchte offen mit dir ausgehen können: zum Essen, ins Theater – ich möchte dich mitnehmen, wenn ich wegfahren muß.

MARIA: Es gibt keinen anderen Weg als die Heimlichkeit. Wenn er mit seiner Sache durchkäme, wenn unsere Ehe annulliert würde ...

BUSCH: Das ist doch Wahnsinn, Maria, er wird nie damit durchkommen. Ich kenne mich nicht aus in kirchlichen Dingen, aber das weiß ich: Die Ehe ist unantastbar – jedenfalls nach außen hin. Daran wird nicht gerüttelt.

MARIA: Es wird an vielem gerüttelt.

BUSCH: Daran nie. Du bist fünfunddreißig, und du wirst noch in dreißig Jahren dasitzen und respektieren, was du nicht verstehst, was du vielleicht nur nicht einsehen willst: daß er an etwas rüttelt, das weder Staat noch Kirche je preisgeben werden: an der Ordnung und am Recht.

MARIA: Und das willst auch du: Ordnung und Recht.

BUSCH: Du nicht?

MARIA: Doch. Vergiß nicht, daß ich aus einer alten, sehr konservativen Familie von Rechtsgelehrten stamme, daß ich bewußt traditionsgebunden bin.

BUSCH: Und daß du eine kluge, nüchterne Frau bist, der Mystifikationen zuwider sind.

MARIA: Ja. Und ich bin sogar geschäftstüchtig; ich weiß, was mir zusteht, was mir gehört, und ich bestehe darauf, es zu bekommen.

BUSCH: Und willst dir nicht eingestehen, daß er einfach verrückt, daß er vielleicht sogar nur ein Spinner ist.

MARIA: Nein. Weil es nicht zutrifft. *(leiser)* Ich habe so vieles nicht verstanden, was ich respektiert und als geheimnisvoll hingenommen habe; ich hab's einfach hingenommen und sogar genommen, was in der Kirche gegeben wird. Und eins habe ich an ihm verstanden: Er ist hinter einem Geheimnis her, er versucht, es aufzuknacken, und da muß er vieles zerstören, was um dieses Geheimnis herum aufgebaut und angehäuft worden ist. *(noch leiser)* Was er finden wird, weiß ich nicht ...

BUSCH: Und du bist gar nicht böse, eifersüchtig, rachsüchtig, gar nicht auf dein Recht und auf deine Ordnung bedacht?

MARIA: Eifersüchtig bin ich, sogar auf diese Frau, und ebenso sehr auf das, wohinter er her ist: dieses Geheimnis. Böse? – Nein. Ich habe Angst um ihn, so wie die Frauen Angst hatten, deren Männer auszogen, die Welt zu umsegeln oder den Nordpol zu entdecken. Sie suchten etwas, das wirklich war und von dem jedermann glaubte, es wäre ein Traum, eine Fiktion, und es wäre eine Verrücktheit, es zu suchen. Den anderen genügte die Welt, wie sie war, mit ihrer Ordnung und ihrem Recht und ihrem Horizont –

BUSCH: Du sprichst, als verstündest du ihn wirklich. Vielleicht verstehst du ihn besser als die Frau, die jetzt bei ihm ist.

MARIA: Das mag schon sein. Es mag sogar sein, daß sie dümmer ist als ich, vielleicht auch weniger schön oder hübsch als ich, und sicher hat sie weniger Geld, und so weiter, und so weiter ...

BUSCH: Und warum ist er dann von dir weggegangen?

MARIA: Das hab' ich dir doch zu erklären versucht.

BUSCH: Dann hab' ich's nicht verstanden.

MARIA: Er sucht den Südpol, er sucht einen Angelpunkt, er glaubt sogar, ihn gefunden zu haben, aber keiner glaubt ihm.

BUSCH: Du sprichst, als wärst du seine überzeugte Anhängerin.

Maria: Er schreibt mir dauernd, um es mir zu erklären. *(leiser)* Er hat mich sehr gekränkt, als er so plötzlich wegging, einfach weg, nachdem wir so lange zusammen waren – und er will, daß ich ihm diese Kränkung verzeihe.

Busch: Und das tust du?

Maria: Ja.

Busch: Du liebst ihn also?

Maria: Oh, ich weiß nicht. Wahrscheinlich ja.

Busch: Dann – dann gehen wir wohl besser auseinander?

Maria: Ja. Es war ein Irrtum, es war ein Mißverständnis, es war ein Traum. Ich wollte glücklich sein, aber ich habe etwas Schreckliches entdeckt *(Pause)* ... daß ich lieber mit ihm unglücklich wäre als mit dir glücklich. Und ich würde alles darum geben, die andere zu sein, und noch mehr als alles würde ich darum geben, die andere gewesen zu sein, vielleicht wäre es anders gekommen, wenn ich nicht auf dem Recht bestanden hätte, seine Frau zu werden.

Busch: Ich werde dich nicht aufgeben, ich werde dir keine Ruhe geben, wenn wir uns auch jetzt trennen.

Maria: Auch du hast Recht gewollt und Rechte – vielleicht hätten wir uns nicht trennen müssen, wenn du nicht davon angefangen hättest.

Busch: Ich werde nicht nachgeben, Maria! – Ich will lieber kein Recht auf dich haben, als dich verlieren ... Du mußt doch verstehen ...

Maria: Neulich hat er mir geschrieben, er habe mich nicht verlassen, wie man seine Frau verläßt – er habe mich verlassen, wie man eine Geliebte verläßt, um zu seiner Frau zurückzukehren ...

Busch: Ich nehme dich zur Frau, ich – es kann auch so bleiben, ich wollte ja nur – dich rechtlich in eine Lage bringen, die – ich dachte auch an deine Kinder. Wir können doch nicht ...

Maria: Nein, wir können nicht. Es ist besser, du gehst.

Busch: Du setzt mich vor die Tür?

Maria: Nenn es, wie du willst. Ich will jetzt allein sein.

BUSCH: In *unserem* Zimmer allein?

MARIA: Ja. Geh. Du hättest nicht versuchen dürfen, mich gegen ihn aufzubringen. Du hast es zerstört. Geh.

BUSCH: Ist das dein Ernst?

MARIA: Ja, und jetzt geh bitte.

(Man hört, daß eine Tür geöffnet und geschlossen wird, hört Buschs Schritte.)

VI

(Im Freien, entfernt Straßenlärm – wie Szene II)

MARIA: Es ist gut, daß du kommst. Ich freue mich, dich zu sehen.

M: Darf ich dir einen Kuß geben?

MARIA: Ja.

M *(küßt sie):* Ich habe gewartet, bis die Kinder weg waren. Es ist nicht gut, wenn sie uns beide wieder zusammen sehen.

MARIA: Ja. Es ist besser so. Komm, setz dich hierhin. Du kennst den Sessel noch?

M: Ja. Es ist kaum etwas verändert.

MARIA: Nichts ist verändert. Willst du was trinken?

M: Ja. Bitte. Du weißt ...

MARIA: Ja, Sekt. Ich hab keinen im Haus. Allein mag ich Sekt nicht trinken, und Besuch bekomme ich selten. Magst du Bier?

M: Ja, gern. *(Man hört Maria ins Haus gehen und zurückkommen)*

Komm, ich mach' das schon. *(öffnet eine Flasche)* Und du, was trinkst du?

MARIA: Auch Bier, gieß mir ein. *(es wird Bier eingegossen)*

M: Sie sind sehr klug, daß sie dich zur Vermittlerin gewählt haben.

MARIA: Sie täuschen sich in mir. Sie können nicht begreifen, daß ich eher deine Sache vertrete als meine, die sie für die ihre halten. Sie glauben, ich wäre bereit, dich zu verraten. Ich laß sie in dem Glauben.

M: Ich hab' dir sehr weh getan.

MARIA: Ja, es tut weh. Aber ob du mir weh getan hast? Ich weiß nicht. Du hast mir auch etwas geschenkt – etwas sehr Gutes. *(kurze Pause)* Du weißt nicht, was ich meine?

M: Nein. Ich kann's mir nicht denken.

MARIA: Dir kann ich's sagen, jeder andere würde mich für verrückt halten. Ich habe etwas gelernt, erfahren und gelernt, eingesehen und erfahren, was ich nie erfahren hätte, wenn du nicht von mir weggegangen wärst: daß sie bis heute nicht wissen, was ein Mensch ist. Oh, sie wissen, was ein Sünder ist, sie wissen, was ein Heiliger ist – aber was ein Mensch ist, das wissen sie nicht.

M: Haben sie dir weh getan?

MARIA: Es war ein Schmerz wie bei einer Operation, aber die Operation ist gelungen, der Schmerz vergessen. Ich bin frei. *(heftiger)* Es sah wie eine zufällige Begegnung aus. Eine Schulfreundin – Käthe, du kennst sie – lud mich zum Kaffee ein. Auch Käthes Bruder war da und dessen Frau, und zufällig ein Schulfreund von Käthes Bruder, ein kleiner, stiller, unauffälliger Priester. Gut. Wir tranken Kaffee, sprachen über Verschiedenes, übers Konzil und so weiter – wir lachten viel, und es war sehr nett. Ich blieb länger, als ich vorgehabt hatte, rief zu Hause an und bat Birgit, meine Nichte, du kennst sie – noch etwas länger bei den Kindern zu bleiben. Gut. Es wurde ein netter Abend. Bald darauf lud ich Käthe zum Kaffee ein, ihren Bruder und dessen Frau und auch diesen Priester. Es wurde wieder sehr nett, und dann, dann lud Käthes Bruder ein – und wieder ein wenig später dieser junge Priester, und dann lud wieder Käthe ein, danach wieder ich, und so weiter. Seit acht Monaten ist da also etwas entstanden, was man früher vielleicht einen Freundeskreis nannte. Gut. Nach dem dritten oder vierten Treffen sprachen wir auch über dich – deine – die Frau, mit der du zusammenlebst, über das was man dein Problem nennen könnte. Darf ich's so nennen?

M: Natürlich, nenn es so.

MARIA: Auch über unsere Ehe und die Ehe der Frau, mit der du zusammen bist und über ihren Mann, der ja offenbar eine ziemlich wichtige Position hat.

M: Ja, er ist Direktor eines Koordinierungsrates, der in Schul-, Funk- und Wirtschaftsfragen die kirchlichen Interessen gegenüber den Pluralitätspartnern abgrenzt. Einen besseren konnten sie nicht finden.

MARIA: Ich weiß nicht, wann ich anfing, mißtrauisch zu werden. Es kann schon beim dritten oder vierten Treffen gewesen sein, jedenfalls fiel mir auf, wie der junge Priester besonders aufmerksam zuhörte, wenn über dich gesprochen wurde. Nun, es sprach keiner schlecht über dich. Nur, du weißt doch ...

M: Sie halten mich für verrückt, oder?

MARIA: Eher für fanatisch, und sie würden gern wissen, herausbekommen, ob du wirklich gläubig bist, ob der Fanatismus, mit dem du die Sache betreibst, aus dem Glauben oder aus reiner Zerstörungslust kommt.

M: Und das sollst du herausbekommen?

MARIA: Es wurde nicht so deutlich gesagt, aber das war gemeint. Schließlich fand ich heraus, daß dieser junge Priester regelrecht in unsere Kaffeestündchen eingefädelt worden war. Käthe hat's auch nicht bemerkt, aber als ich sie bat, darüber nachzudenken, fiel ihr ein, daß er sich sozusagen selbst eingeladen hatte. Und nun besucht er mich manchmal allein. Er kommt meistens unangemeldet.

M: Und gibt sich liberal?

MARIA: Ich glaube sogar, er ist liberal, aber das ist gar nicht wichtig. Wichtig ist, daß er ein Spitzel ist. Er will mich gern in die Position der rachsüchtigen, verbitterten Frau drängen ...

M: Die dann einem kirchlichen Gericht bezeugen würde, daß ich im Grunde meines Herzens nicht gläubig bin.

MARIA: Woher weißt du das?

M: Weil ich weiß, wie sie arbeiten. Unser guter alter Pfarrer hat auch »falsch Zeugnis wider seinen Nächsten« abgelegt. Er hat bestritten, daß wir ihn wieder gebeten haben, uns heimlich kirchlich zu trauen, daß wir ihm versprochen haben, keinen Gebrauch davon zu machen.

MARIA: Das kann er doch nicht, wenn's wirklich nicht stimmt.

M: Wahrscheinlich haben sie ihn gezwungen. Vielleicht brauchten sie ihn auch nicht zu zwingen. Es kann wirklich sein, Maria, daß sie dich eines Tages vor ein Kirchenrechtler-Gremium bitten, um eine Art Glaubenszeugnis über mich abzulegen.

MARIA: Ich werde dich nicht verraten. *(Pause)* Neuerdings lädt er mich ein, und einmal bin ich wirklich hingegangen und habe Perz getroffen. Es wurde kein Wort über dich gesprochen. Kein Wort, nur ließ Perz durchblicken, daß er mich bald einmal einladen würde. Und nachdem er gegangen war, versuchte der Kleine erst zärtlich, dann zudringlich zu werden. Es war gemein und dumm und sehr ungeschickt, *(lacht bitter)* wahrscheinlich hat er vorher in einem Buch oder in einer Illustrierten nachgeguckt, wie man's anstellt. Ich habe ihm eine gelangt und bin gegangen.

M: Du darfst einen Priester nicht schlagen, Mädchen, dann bist du automatisch exkommuniziert.

MARIA: Stimmt nicht. Er war schon vor mir automatisch exkommuniziert, weil er eine seelsorgerische Situation ausgenutzt hat, um zudringlich zu werden.

M *(lacht)*: Du hast doch etwas bei mir gelernt – und bei deinem Vater.

MARIA: Vergiß nicht, daß ich zwei Semester Kirchenrecht studiert habe, und außerdem hat er mir zugeflüstert: Ich bin ja auch nur ein Mann, und als NUR-Mann darf ich ihm eine langen.

M: Wirst du ihn verklagen?

Maria: Ich habe keine Zeugen, und außerdem bin ich zehn Jahre älter als er, und man wird's umgekehrt interpretieren: als hätte ich ihn verführen wollen. Er hat mich auch angerufen und sich entschuldigt. Es gibt da noch etwas, wovor sie Angst haben. Daß du deine Probleme publik machst.

M: Ich hab's sogar versucht, aber das Problem interessiert niemanden. Das brauchst du ihnen natürlich nicht zu sagen. Sie sollen diese Angst behalten.

Maria: Wäre es nicht besser, du würdest dich wieder um die Kanzlei kümmern, arbeiten, leben, anstatt diesen aussichtslosen Kampf zu führen? Sie werden dich aushungern, es wird ihnen gelingen, dich doch zum Verbitterten zu machen.

M: Es ist ihnen schon gelungen. Sogar alte Freunde meiden mich. Die, für die das Problem uninteressant ist, fragen sich, wozu ich mich derart darauf konzentriere, und für die anderen bin ich ein Spinner. Jetzt muß ich gehen, Maria.

Maria: Ja, die Kinder kommen bald. *(Pause)* Ich hab's den Kindern zu erklären versucht. Ich habe ihnen gesagt, du wärst schon einmal verheiratet gewesen und hättest geglaubt, deine Frau wäre tot – aber dann hätte sich herausgestellt, daß sie noch lebt.

M: Das ist gut und fast wahr.

Maria: Es ist besser, wir gehen durch den Garten nach draußen. Es war auch gut, daß du durch den Garten hereingekommen bist, so daß alle Nachbarn dich sehen konnten – und daß sie alle sehen, daß wir nicht eine Minute allein waren im Haus.

M: Aber einen Kuß darf ich dir geben?

Maria: Ja.

(M: küßt sie)

Maria *(im Hinausgehen):* Wir müssen vorsichtig sein. Perz hat mir einen ziemlich schlüpfrigen Vorschlag gemacht. Er hat mir gesagt, ich solle dich zur Ehe verführen oder zum Ehebruch, das käme auf die Auffassung an, aber seine Stimme klang, als meinte er eher Ehebruch.

M: Er ist der einzige, der uns manchmal besucht. Er weiß schon, worum's geht. Und weil er seine Doppelzüngigkeit offen zeigt, ist er fast ehrlich.

MARIA *(inzwischen an der Gartenpforte, Straßenlärm lauter, sie spricht leise):* Brauchst du Geld?

M: Lieb, daß du mich fragst. Aber noch geht's. Vielleicht übernehme ich wirklich wieder die Kanzlei, aber inzwischen bin ich mit dem Problem wirklich fast verheiratet. Ich grabe und grabe und wühle in alten Schmökern. Ich finde viel rechtlich Interessantes, aber eine Definition des Sakraments Ehe habe ich noch nicht gefunden, außer der einen: Was Gott verbunden hat, soll der Mensch nicht trennen, und: Sie werden ein Fleisch sein. Aber Zweifel daran, daß die kirchliche Trauung die Verbindung durch Gott ist, habe ich noch nicht entdeckt. Es ist das einzige Sakrament, dessen Spendung die Kirche nicht in der Hand hat, sie verwaltet nur seine Rechtlichkeit. *(weiter, mit sich steigernder Eigensinnigkeit)* Die Frage ist also: Wo findet die Verbindung durch Gott statt, wodurch, und wie kann die Kirche ein Sakrament verwalten, dessen Gegenstand sie gar nicht in der Hand und von dessen Natur sie gar keine Vorstellung hat? Ist sie also nur die Verwalterin einer *gesellschaftlichen* Ordnung, oder *(bricht ab)* – oh, ich langweile dich, ich seh's.

MARIA: Nein, es langweilt mich nicht. Ich hab' nur Angst, ob du's durchhältst.

M: Du möchtest wirklich, daß ich durchhalte?

MARIA: Ja. Seitdem ich weiß, daß es ihnen nicht darum geht, meine Ehe zu retten, mir zu helfen. Es geht nicht um Menschen, es geht um Grundsätze. Und neuerdings fängt sogar unser Pfarrer an, mich zu manipulieren. *(lacht)* Er lud mich zu sich ein, und wen treffe ich da: den Bischof, der die Kinder gefirmt hat, und was sagt mir der Bischof:

daß ich eine tapfere Frau sei, ein Musterbeispiel für die Unauflöslichkeit der Ehe. Dabei wissen sie alle, daß ich einen Liebhaber hatte. Weißt du's auch?

M: Ja, Perz hat's mir erzählt. Er bot es mir sozusagen als Scheidungsgrund an, nannte mir die Adresse des Zimmers, wo du dich mit – diesem Mann triffst. Ich weiß auch seinen Namen.

MARIA: Hat's dir weh getan?

M: Ja.

MARIA: Es ist vorbei. Verzeih mir. Es war eine Dummheit.

M: Du brauchst mich nicht um Verzeihung zu bitten.

MARIA: Ich wollte dir nicht weh tun, es war nur ...

M *(unterbricht sie):* Erklär's nicht. Nur ... es ist schwer für mich, zu wissen, daß du dich gebunden fühlst.

MARIA *(lacht):* Und doch tut's dir weh, wenn ich so tue, als wäre ich ungebunden?

M: Ja.

MARIA: Mir geht's ähnlich: Ich will, daß du nicht aufgibst – und hab' doch Angst, daß du durchhältst. Du mußt jetzt gehen, die Kinder können jeden Augenblick kommen. Ruf mich an. Auf Wiedersehen.

M: Auf Wiedersehen, Maria.

VII

(Ein kleiner Raum, durchs offene Fenster Straßenlärm.)

SCHLOHR: Unsere Kaffeestündchen finden noch regelmäßig statt, aber Maria Merkens kommt nicht mehr und lädt auch nicht mehr ein. Wenn ich anrufe, läßt sie sich verleugnen.

PERZ: Sie ist auch meiner Einladung nicht gefolgt. Sie zieht sich immer mehr zurück.

SCHLOHR: Nur ihr – Merkens besucht sie neuerdings.

PERZ: Einmal hat er sie besucht. Und zwar offen, am hellen Nachmittag. Er ist ums Haus herum direkt zu ihr in den Garten gegangen. Er hat sie sogar geküßt, zweimal, als er kam und als er ging.

SCHLOHR *(eifrig, wütend):* Ich begreife diese Frau nicht.

PERZ: Ja, einiges ist undurchsichtig und ganz ungewöhnlich. Keiner tischt Dreck auf, keiner klagt um oder auf Besitz. Mobiliar, Geld. Kuckertz hat seiner Frau sogar ihre Lieblingsmöbel ins Haus bringen lassen. Der Fall beginnt Aufmerksamkeit zu erregen, mein lieber Schlohr. Sogar die komplizierte Problematik erweckt Interesse als Gesprächsgegenstand. Was mich übrigens überrascht: Bisher ist die Ehe nur in ihrer Rechtlichkeit oder Unrechtmäßigkeit Gesprächsgegenstand gewesen. *(seufzt)* Wir dringen in dieses merkwürdige Karree nicht ein, Schlohr. Alle vier Pfosten halten stand. Nicht einmal Kuckertz zeigt die Neigung, den üblichen Weg zu gehen. Er läßt sich jedenfalls nichts anmerken. Und er hat seinen Kindern eine Variation der Geschichte erzählt, die auch Maria Merkens ihren Kindern erzählt: ihre Mutter sei schon einmal verheiratet gewesen, habe aber geglaubt, der Mann sei tot, und nun ...

SCHLOHR: Die beiden verlassenen Ehepartner bestätigen also Merkens' Theorie?

PERZ: Ja. Sie können wohl nicht anders. Es ist wohl schwer, den eigenen Kindern klarzumachen, ihre Mutter oder ihr Vater sei böse.

SCHLOHR: Die meisten machen sich nicht viel daraus. *(seufzt)* Ich begreife es einfach nicht. Ich begreife auch Merkens nicht.

PERZ: Ich begreife ihn sehr gut. *(leiser)* Im Anfang hatte ich den Wunsch, ihn einfach zu vernichten. Ich war froh, daß Sie ihn von Wohnung zu Wohnung hetzten, indem Sie es so arrangierten, daß dem Hauswirt mit einer Klage wegen Kuppelei gedroht wurde.

SCHLOHR: Dreimal ist es mir gelungen. Jetzt haben sie zwei

nebeneinanderliegende Appartements gemietet – mit getrennten Eingängen.

PERZ *(lacht)*: Er ist Jurist und hat früher viel mit Scheidungen zu tun gehabt.

SCHLOHR *(lacht)*: Er hat mit Einverständnis des Hauswirts die Trennwand zwischen den Balkonen und das Gitter entfernen lassen. Der Tatbestand der Begünstigung ist unverkennbar.

PERZ: Ach, dämpfen Sie doch Ihren Eifer ein wenig, Schlohr. Lassen Sie die beiden jetzt in Frieden.

SCHLOHR: Haben Sie etwa Mitleid?

PERZ: Sie nicht?

SCHLOHR: Was ich an Merkens bekämpfe, ist nicht seine Mißachtung des Rechts, ich kämpfe gegen seine fast schon gnostische Mystifizierung der Ehe, die auf ihre Weise reaktionär ist.

PERZ: Und predigen und lehren doch weiter, daß die Ehe ein Sakrament, also ein Mystikum ist?

SCHLOHR *(böse)*: Als mystisch erscheint mir auch die unverständliche Loyalität, die Kuckertz seiner Frau und Maria Merkens ihrem Mann gegenüber praktizieren. Ich verstehe es einfach nicht.

PERZ *(müde)*: Es gibt eine Erklärung dafür, die Sie überraschen mag: sie lieben. Die eine liebt ihren Mann, und der andere liebt seine Frau.

SCHLOHR *(erregt)*: Und Merkens liebt seine Anna und Anna ihren Merkens. Und möglicherweise liebt Merkens sogar seine Frau und Anna ihren Mann, wie?

PERZ: Ich wundere mich doch sehr darüber, daß es Sie so erregt, daß Menschen einander lieben.

SCHLOHR: Und daß sie Rechtsbruch und Ehebruch hinnehmen, daß sie dulden, und – *(erregt)* Ich habe Grund zu der Annahme, daß Maria Merkens ihrem Mann sogar Geld gegeben hat. Damit er seine Garderobe aufbessert, bevor er die Praxis wieder übernimmt.

PERZ: Er übernimmt die Praxis wieder?

SCHLOHR: Ja. Ich habe sogar ziemlich deutliche Beweise, daß sie seine Miete bezahlt – das heißt, die Miete für beide Appartements.

PERZ *(lacht):* Wenn Sie wirklich Beweise hätten, könnten Sie ja Maria Merkens der Kuppelei anklagen.

SCHLOHR: Ich begreife nicht, was Sie daran lächerlich finden. *(kurze Pause)* Tatsächlich, das wäre ...

PERZ *(unterbricht ihn scharf):* Sie werden das nicht tun. Und wenn Sie es tun, werde ich Seiner Exzellenz klarzumachen wissen, daß Sie anfangen, sich lächerlich zu machen. *(leiser, aber immer noch energisch)* Ich will nicht, daß die beiden gehetzt werden.

SCHLOHR: Sie, Herr Professor, wollen Unrecht und Unordnung dulden? Seine Exzellenz ...

PERZ: Oh, Sie wollen mir drohen? *(lacht)* Bitte, flüstern Sie, intrigieren Sie. Ich bin auch ein alter Flüsterer und Intrigant. *(lacht)* Mir macht's Spaß, hoffentlich Ihnen auch. Mein Gott, können Sie denn nicht begreifen, daß der Bursche mir Respekt einflößt, und wissen Sie nicht, daß er recht hat?

SCHLOHR: Recht –? Sie sagen, er hat recht.

PERZ: Natürlich hat er recht, nur ist er nicht im Recht. Eine Ehe, die an der nebensächlichen Frage der Großjährigkeit und an dem beschränkten Konfessionalismus der beiden Väter gescheitert ist. Gäbe es die standesamtliche Trauung nicht, wären Merkens und Anna Wulf getraut worden.

SCHLOHR: Und hätten sich möglicherweise längst wieder getrennt, oder – wie man so sagt – auseinandergelebt.

PERZ: Vielleicht. Aber sie wären nach kirchlichem Recht Eheleute.

SCHLOHR: Sie können doch nicht – ich meine, seit nun fast zwei Jahren sind Sie es, der Merkens' Auffassung bei jeder Gelegenheit für undiskutabel erklärt.

PERZ: Ja, weil er nicht im Recht *ist,* obwohl er recht hat. *(leiser)* Er hat schon den richtigen Punkt erwischt. *(noch leiser)* Und es wird eine Zeit kommen, wo er auch im Recht *ist.*

SCHLOHR: Die Aussage seines ehemaligen Pfarrers wird ihn niemals ins Recht setzen.

PERZ: Die Aussage und die schriftliche Erklärung seines ehemaligen Pfarrers sind *Opfer,* die dieser dem Recht gebracht hat. Der Fall durfte auch nicht andeutungsweise den Anschein der Berechtigung bekommen. *(hart)* Es muß diese Opfer geben, es sind Opfer, die der Quantität gebracht werden müssen, nicht der Qualität. Merkens muß im Unrecht bleiben. *(leiser)* Und ich begreife auch, daß *er* nicht *Opfer* machen will: nicht seine Frau, nicht Kuckertz, und nicht die Kinder aus beiden Ehen. Und ich möchte nicht, Schlohr, hören Sie, ich möchte nicht, daß *Sie* Opfer schaffen. Lassen Sie die beiden in Frieden, lassen Sie Frau Merkens in Frieden und Herrn Kuckertz – und die Kinder.

SCHLOHR: Seine Exzellenz hat mir angedeutet, daß – sie meint, die Tatsache, daß Kuckertz seinen Kindern erlaubt, ihre Mutter zu besuchen, und da er nun einmal eine hohe kirchliche Vertrauensstellung bekleidet ...

PERZ: Die er zur vollsten Zufriedenheit Seiner Exzellenz ausfüllt ...

SCHLOHR: Ja, zur vollsten Zufriedenheit. Und doch ist das Privatleben eines Mannes in so hoher und verantwortlicher Stellung ... ich meine ...

PERZ *(sehr leise):* Ich habe in diesem merkwürdigen Fall etwas gelernt, Schlohr. Es mag Sie überraschen: Es ist der erste eherechtliche Fall, in dem ich keinen Dreck auf den Tisch meines Schreibtisches bekommen habe, und ich möchte nicht, daß Sie mir den Dreck liefern.

SCHLOHR *(tückisch):* Es wäre nicht mein Dreck, sondern Dreck, den Seine Exzellenz – was ich sagen will: Sie können doch nicht annehmen, daß Seine Exzellenz Dreck auf Ihren Schreibtisch praktizieren möchte. Und daß Ordnung Dreck sein sollte ... Ich denke ...

PERZ: Seine Exzellenz hat einen Vornamen, und dieser Vorname ist Karl. Lateinisch Carolus. Und wenn ich mit Seiner Exzellenz unter vier Augen bin, sage ich Karl zu ihm, *(böse)* und ich werde mir diesen Kerl, ja, ich werde ihn … *(keuchend)* Ich werde nicht dulden, Schlohr, daß die Kinder nicht mehr zu ihrer Mutter dürfen. Ich werde es nicht dulden. Ich werde … *(bricht ab)*

SCHLOHR: Was werden Sie? Herr Professor, was werden Sie?

PERZ: Ich werde mein Amt und meine Würde zur Verfügung stellen. Ich weiß, das überrascht Sie. Sie halten mich für einen Zyniker. Ich bin sogar einer. Seit dreißig Jahren bin ich verantwortlich für eherechtliche Fragen, was bedeutet für *Fälle,* was wiederum bedeutet: für *Menschen,* die kein Mittel unversucht lassen und mir kein Detail ersparen, weil sie hoffen, es ließe sich lösen, was gebunden ist. Warum, Schlohr, warum quälen sich diese Menschen so, warum? Warum lassen sie sich nicht einfach scheiden, pfeifen auf die kirchliche Trauung und gehen ihres Wegs? Warum, Schlohr? Hören Sie mich nicht, Schlohr? Wollen Sie mir nicht antworten? *(Pause)* Weil sie uns glauben, weil sie uns vertrauen, weil sie treu sind … *(lacht)* Ja, es gibt immer noch reichlich von diesen Idioten …

SCHLOHR: Professor! Ich denke …

PERZ: Sie dürfen es Seiner Exzellenz weitersagen, und Sie brauchen nicht einmal zu flüstern. Ja, ich sagte Idioten, weil sie ihr Recht suchen, Recht in einer Sache, die sie selbst in der Hand haben. Die Treue ist es, die meine Aktenschränke füllt, Schlohr, und es ist die Treue, die Maria Merkens und Kuckertz veranlaßt, ihre Kinder zu den beiden gehen zu lassen. Ich möchte nicht, daß diese Treue verraten wird. Ich dulde es nicht, und nun gehen Sie. *(Pause)* Ich habe gesagt, Sie sollen gehen. *(Pause)* Wollen Sie wirklich, daß ich …

SCHLOHR *(sehr förmlich):* Auf Wiedersehen, Herr Professor.

(Eine Tür wird geöffnet und geschlossen.)

VIII

(Auf einem Balkon, etwa 6. oder 7. Stockwerk. Unten Lärm einer verkehrsreichen Straße.)

ANNA: Ich habe mit ihm gesprochen. Er hat mir erlaubt, es dir zu sagen. Natürlich erwartet er, daß du keinen Gebrauch davon machst, aber er ist auch klug genug, zu wissen, daß es dir keiner glauben würde.

M: Ob ich Gebrauch davon machen werde, kann ich erst sagen, wenn du es mir erzählt hast.

ANNA: Vielleicht erzähle ich es besser nicht. Warum hast du nicht Vertrauen genug zu mir? Wenn ich dir doch sage, daß es mit unserem Fall nichts zu tun hat.

M: Sie haben Marias Vertrauen mißbraucht, sie haben das Vertrauen von Kuckertz mißbraucht, jetzt versuchen sie, unseren Hauswirt wegen Begünstigung zu verklagen. Sie haben versucht, das Vertrauen deiner Kinder zu dir zu vergiften, meine Kinder haben sie gegen mich *und* gegen ihre Mutter aufzuhetzen versucht. Jetzt ist sogar Perz an der Reihe. Offenbar gefällt es ihnen nicht, daß er dich besucht, wenn ich in der Kanzlei bin. Ich vertraue dir, Anna, aber ich traue ihnen nicht. *(kurze Pause)* Sie haben Kuckertz zu erpressen versucht, ihm mit Kündigung gedroht.

ANNA: Woher weißt du das?

M: Seit ich wieder in die Kanzlei gehe, treffe ich wieder Menschen, und manche erzählen mir etwas. *(Pause)* Du brauchst es mir nicht zu sagen.

ANNA: Genügt es dir, wenn ich sage, daß er mir etwas bringt? Wir reden kaum miteinander.

M: Er bringt dir etwas?

ANNA: Er bringt mir, was ich von keiner Kirche mehr bekommen darf. Nur heimlich mir holen möchte.

M *(nach längerem Schweigen)*: Perz bringt es dir?

ANNA: Ja. Er *(schweigt kurz)* er – es hat ihn gerührt, daß ich so sehr danach verlange.

M: Perz gerührt?

ANNA: Ja. Vielleicht sollte ich sagen bewegt. *(nach kurzem Schweigen)* Ich glaube, er würde es dir auch geben. Soll ich ihn fragen?

M: Nein, ich will es nicht. Nicht heimlich. Es wundert mich, daß er sich diese Blöße gibt. Er handelt gegen das Recht, das er so eifrig verteidigt. Keine Angst, ich werde keinen Gebrauch davon machen.

ANNA: Er hat dich gern.

M: So?

ANNA: Wundert es dich?

M: Nein. Es gibt viele, die uns gern haben. Nur dürfen sie alle nicht zugeben, daß wir recht haben. Sie haben dich gern und geben dir nicht, was du so gern hättest. Da muß Perz kommen und es dir heimlich geben. Heimlich. Nach seiner Rechtsauffassung und nach dem Recht, das er immer noch lehrt, ist er selbst schon längst außerhalb des Rechts. Warum gehst du nicht in seine Kapelle, und er gibt es dir öffentlich?

ANNA: Ich habe mich für dich verbürgt, daß du es niemandem erzählst.

M: Ich werde es niemandem erzählen. Er weiß, daß ich fair bin. Keine Angst, Anna, ich werde euch beide nicht verraten. Ich bewundere seine Kühnheit. Er weiß ja, was er tut. Er tut etwas, wofür er selbst jeden anderen Priester schwer bestrafen würde. *(lacht)* Konsequenterweise müßte er sich selbst bestrafen. Gut, daß du es mir gesagt hast. Ich ... ich hätte es mir denken können, ich hätte es mir denken müssen, aber daß *er* – das konnte ich nicht wissen. Jeder andere außer diesem dummen kleinen Spitzel, aber der täte es nie, nicht nur, weil es Unrecht wäre, sondern weil er dich, ohne es dir zu gestehen, innerlich auslachen würde. Nein, sag Perz: Ich will es nicht, nicht nur, weil es heimlich wäre.

ANNA: Auch öffentlich würdest du es nicht wollen?

M: Nein. Auch nicht, wenn ich recht bekäme, und wenn alles sich uns wohlgefällig zuneigen würde.

ANNA: Du – du kämpfst also nicht für dich und mich?

M: Nein. Für uns beide brauche ich nicht zu kämpfen. Wenn ich recht bekäme, dann würden sie Kuckertz und Maria verraten, deinen dir kirchlich angetrauten Mann und meine mir kirchlich angetraute Frau. Eines Tages werden sie all die vielen verraten, die wie Kuckertz und Maria ihnen Treue und Glauben geschenkt haben. Hast du dir je vorgestellt, was passieren würde, wenn mein Antrag durchkäme? Millionen Ehefrauen und Ehemänner, die Partner derer, die mit *meinem* Argument kämen und mit diesem Argument durchkämen – sie würden verraten und verkauft auf der Straße stehen.

ANNA: Aber du willst doch – du bestehst doch drauf, daß dein Antrag ernst genommen wird und willst doch, daß er durchkommt?

M: Ja. Das will ich. Ich bestehe darauf. Und doch weiß ich, daß sie die Treuen verraten würden, daß sie sie verraten werden, wenn es ... wenn es ihnen nützlich erscheint. *(lacht)* Und es wird ihnen nützlich erscheinen, wenn es nicht mehr opportun ist, heimlich zu tun, was öffentlich getan werden müßte. Heimlich dürfte ich dich oder Maria zur Geliebten haben, oder ihr mich zum Geliebten. Es wäre peinlich, aber das Recht bliebe gewahrt. Deshalb will ich es von Perz weder heimlich noch öffentlich. Er verrät sein Recht, weil ihn dein Verlangen bewegt. Gut. *(seufzt)* Sprechen wir nicht mehr darüber. Sei nicht böse, und laß ihn wiederkommen und es dir geben.

ANNA: Möchtest du Kaffee?

M: Ja, bitte, ich habe noch zu tun. Nicht lange.

Aussatz

PERSONEN:

Erwin Tobser, *Polizeibeamter,*	*40 Jahre alt*
Käthe, *seine Geliebte,*	*35 Jahre alt*
Anna, *Lehrerin,*	*26 Jahre alt*
Bert Schneider,	*34 Jahre alt*
Buhr, *Großindustrieller,*	*50 Jahre alt*
Greta Buhr,	*27 Jahre alt*
Paul Herkens, *Kleriker,*	*58 Jahre alt*
Hans Kumpert, *Kleriker,*	*27 Jahre alt*
Mohrscheidt, *Weihbischof,*	*60 Jahre alt*
Mauen, *Polizeipräsident,*	*60 Jahre alt*
Blefferscheidt,	*60 Jahre alt*

Das Stück spielt in einer Großstadt. Die Bühne soll bei Beginn jedes Aktes, jeder Szene undekoriert sein. Ein mittelgroßer Tisch, ein paar Stühle, ein kleinerer Tisch, auf dem Flaschen, Getränke etc. stehen, können für alle Akte und Szenen verwendet werden, es sollen also alle Mitspielenden aus denselben Flaschen, Gläsern etc. trinken. Durch Farbprojektionen, Lichteffekte, sollen die sozialen Unterschiede projiziert werden: etwa der Bezug der Stühle, die Farbe des Tischtuchs, der Teppiche, Tapeten etc., die Bilder an den Wänden, die Größe der Fenster und ihre Dekoration; auch Tageszeit und evtl. zusätzliche Möblierung sollen durch Projektion in den Raum hineindekoriert werden, auch Blumenvasen etwa. Die für den jeweiligen Akt (Szene) vorgesehene soziale Illusion soll vor den Augen der Zuschauer und rasch entstehen, sie könnte sogar von einem der Schauspieler, indem er einen Lichtschalter bedient, eingeschaltet werden. Alle Szenen sollen rasch, aber nicht hastig gespielt werden, es soll der Eindruck des Vorübergehenden entstehen; es könnte etwa ein angetrunkenes Glas auf dem Tisch oder Tischchen oder auf der Fensterbank stehenbleiben und in der folgenden Szene von einem anderen Schauspieler leergetrunken werden. In der gleichen Weise könnte mit einer Packung Zigaretten verfahren werden. Am Schluß jedes Aktes (Szene) würde die Dekoration, das »Milieu«, dann wieder von einem abgehenden Schauspieler »ausgeknipst«. Der Raum hat vorne zwei Fenster zur Straße hin, links und rechts je eine Tür.
Die Beleuchtungs- und Dekorationsanweisungen können auch vereinfacht angewendet werden, indem man durch bloße Farb- und Proportionsverschiebungen das veränderte Milieu ausdrückt.

I

(Käthes Appartement.)

KÄTHE: Warum hast du es ihr denn so direkt ins Gesicht gesagt?

TOBSER: Was?

KÄTHE: Daß er tot ist.

TOBSER: Wenn sie ihn nicht gekannt hat, dürfte es nicht weiter schlimm für sie sein, und wenn sie ihn gekannt hat, glaub mir, es ist immer das beste, es ohne Umschweife zu sagen.

KÄTHE: So ein armer Kerl; bringt sich um, allein in einem Hotelzimmer – und ist gerade sechsundzwanzig – und dann in Priesterkleidung.

TOBSER: Das will ich ja 'rauskriegen, ob er nur einer war, der Priesterkleidung trug – oder ob er ein Priester war.

KÄTHE: Das hast du doch schon längst 'raus. Warum das Mädchen noch quälen.

TOBSER: Weit und breit kein Motiv zu entdecken. Es ist doch merkwürdig, daß keiner ihn gekannt haben will. Er ist nicht einmal identifiziert. Manchmal verbirgt sich hinter Selbstmord ein Verbrechen, das andere begangen haben.

KÄTHE: Du glaubst, sie hat ihn richtig gekannt?

TOBSER: Ich weiß, daß sie ihn gekannt hat. Ich habe bisher drei Menschen verhört, die ihn gekannt haben – alle verleugnen sie ihn. Seitdem das Foto aus meinem Schreibtisch verschwunden ist, wird's natürlich schwieriger. Komischerweise ist auch das Negativ verschwunden, und – *(zögert)* – das hab' ich ihr noch gar nicht gesagt: Er ist schon eingeäschert und beigesetzt.

KÄTHE: Du meinst, es steckt wirklich was dahinter?

TOBSER: Ich hatte die Leiche in den Eisschrank legen lassen. Der Staatsanwalt hat sie freigegeben, und dann ist sie eingeäschert worden. Nicht so ganz korrekt, aber fast. Der Fall war klar: eindeutig Selbstmord. Identifizierung unmöglich. Amtliche Schlußeintragung: Selbstmord eines Unbekannten in Priesterkleidung in einem Hotel. Motiv: unbekannt.

KÄTHE: Dann ist der Fall doch abgeschlossen.

TOBSER: Ich könnte ihn liegenlassen, aber ich will nicht. *(leiser)* Bei den meisten hast du rasch 'raus, warum sie's getan haben, immer noch die alten Motive in den verschiedensten Variationen: Einsamkeit, Geld, Liebe. Manche Frauen bringen sich um, weil sie ein Kind erwarten – andere, weil sie keine kriegen. Heute hatten wir einen, der hat sich aufgehängt, weil sie ihm sein Auto zerkratzt haben. Jeden zweiten Tag einen oder genauer gesagt: alle fünf Tage drei.

(Käthe steht auf, geht in die Küche, holt das dort bereitstehende Tablett mit Tassen, Kannen etc., stellt es auf den Tisch, trinkt stehend ihr kleines Glas aus.)

KÄTHE: Du mußt tatsächlich noch einmal zu ihr hinfahren?

TOBSER: Sie hat ihn gekannt. Mein Foto ist geklaut worden – aber auf ihrem Schreibtisch hab' ich sein Foto gesehen, und als sie 'rausging, hab' ich das Foto fotografiert. Ich hab' also wieder eins von ihm – nur ist's nicht amtlich. *(geht zum Tisch, nimmt ein Foto aus seiner Brieftasche und reicht es Käthe)*

KÄTHE *(mit dem Foto in der Hand, schüttelt den Kopf, spricht mit belegter Stimme):* Mein Gott, so ein junger, frischer Kerl – warum bringt sich so einer um? Er muß doch auch Eltern gehabt haben, vielleicht Geschwister.

TOBSER *(bleibt bei ihr stehen):* Vierundvierzig hat ihn irgend jemand am Straßenrand gefunden, hat ihn mitgenommen und in einem Heim abgegeben. Ein halbes Jahr war er alt. Name unbekannt. Weil er in ein katholisches Heim kam, haben sie einen Katholiken aus ihm gemacht, und weil er sich als frommer Junge herausstellte, haben sie ihn Priester werden lassen.

KÄTHE: Du weißt ja alles über ihn. Wie hat er dann geheißen?

TOBSER *(zögert)*: Der Name ist schrecklich, besonders für einen, der Priester wird. *(Käthe blickt ihn erstaunt an. Tobser zögert noch eine Weile, spricht dann leise weiter)* Einen Namen mußten sie ihm ja geben. *(nachdenklich)* Ich hab' mir schon überlegt, was aus ihm wohl geworden wäre, wenn er in einem polnischen, tschechischen oder russischen Heim abgegeben worden wäre.

KÄTHE: Was haben sie ihm denn für einen Namen gegeben?

TOBSER: Christ, und weil er, was gar nicht bewiesen ist, ein Deutscher zu sein schien, haben sie ihm auch noch einen bedeutungsvollen Vornamen gegeben. Bonifatius. Der arme Kerl – das klingt fast nach künstlicher Befruchtung. Am liebsten würde ich natürlich herauskriegen, wie er wirklich geheißen hat: Ein Mensch hat doch einen Namen. Ich hab' gleich gewußt, das ist kein Schwindler oder Hochstapler, der nur in Priesterkleidung umherzieht. Dann brauchte ich nur noch 'rauszukriegen, wann er ungefähr geweiht worden war – und so viele Termine gibt es da gar nicht, und schon hatte ich ihn: auf einem Gruppenfoto des Weihjahrgangs 1967. Sobald ich seinen Namen wußte, hatte ich auch das Dorf 'raus, wo er amtiert hat, und das Heim, in dem er aufgewachsen ist.

KÄTHE: Und der dir das Gruppenfoto besorgt hat?

TOBSER: Das Foto hab' ich in der Zeitung gefunden, aber du hast recht, es stehen alle Namen dabei, seiner und die der anderen.

KÄTHE: Und seine Vorgesetzten.

TOBSER: Ich bin gleich hingegangen. *(geht wieder zur Fensterbank zurück, hockt sich, trinkt Bier)* Bei Priestern müssen wir ja vorsichtig sein ...

KÄTHE: Vielleicht hat er was besonders Schlimmes ausgefressen, und die haben nicht gern, wenn's rauskommt?

TOBSER: Was soll er schon gemacht haben? Was mit Weibern? Was mit Männern? Weil er beides nicht darf, kann er erpreßt worden sein und Geld gebraucht haben – oder Geld, um irgendwo hinzufahren. Mein Gott, sie müssen ja dann wenigstens ein Hotelzimmer nehmen oder in 'ne Absteige gehen. Ist das so schlimm? Ungewöhnlich bestimmt nicht. Krimineller als andere sind sie jedenfalls nicht – und wenn wir mal hinter einem her sind, ziehen sie ihn meistens aus dem Verkehr, bevor wir ihn zu schnappen bekommen: Südamerika ist weit weg und sehr groß – oder sie stecken sie in eines ihrer kleinen Heime, die der weltlichen Gerichtsbarkeit nicht unterstehen – da kommen wir dann nicht mehr leicht 'ran, falls er nicht gerade zentnerweise Schnee oder Hasch geschmuggelt hat. Was kann der arme kleine Kerl nur besonders Schlimmes ausgefressen haben, daß sie ihn alle verleugnen?

KÄTHE: Er war jung, er war einsam in seinem Pfarrhaus, und da hat er sich in die verknallt.

TOBSER: Ach, so einfach ist das?

KÄTHE: Manchmal ja. Eins ist sicher: Sie war bestimmt in ihn verknallt.

TOBSER: Das könnte schon eher stimmen, und doch wär' das noch kein Motiv für Selbstmord.

KÄTHE: Manche nehmen's ernst, und für so einen – wenn er wirklich Priester war, kann es doch ein Grund sein.

TOBSER: Ernst ist es für andere Männer auch. Aber immerhin, er war nicht verheiratet und sie nicht – wie schlimm könnte das schon gewesen sein?

KÄTHE: Er war Priester, vergiß das nicht. Wahrscheinlich verstehen wir zu wenig, wie ernst das ist.

TOBSER: Gut. Keuschheit und so. Ich hab' mir das alles angesehn, was sie so für Gelübde ablegen und wie die Vorschriften sind. *(geht zum Tischchen, holt ein Buch, kommt zurück, liest daraus vor)* Kirchenrecht, Band 2, Paragraph 46, Abschnitt 4, Unterabschnitt a 2: »Das Gebot der vollkommenen Keuschheit besteht in der Verpflichtung zur vollendeten geschlechtlichen Enthaltsamkeit, sowohl im äußeren Tun wie im inneren Denken und Wollen und gilt für alle Geistlichen, wiewohl dies für die Minoristen nicht ausdrücklich im Gesetz festgelegt ist.«

KÄTHE: Für wen besteht sie nicht?

TOBSER: Für die Minoristen. Das sind die mit den niederen Weihen, es gibt da verschiedene Weihestufen. Ich hatte bei der Sitte manchmal mit welchen zu tun, und da wollte ich natürlich wissen, wie schwerwiegend es für sie ist, und hab' mir das Buch hier besorgt. *(blickt auf den Titel; Käthe lacht)* Übrigens zum Lachen finde ich das gar nicht, wenn man schon ... *(bricht ab)*

KÄTHE: Wenn man schon was?

TOBSER *(verlegen):* Ich meine, wenn man das zwischen Mann und Frau ernst genommen haben möchte, dann muß man das hier auch ernst nehmen. Vergiß nicht, für die, die es angeht, ist es ernst. Also weiter. *(nimmt das Buch)* »Die Verletzung dieser Pflicht seitens eines Majoristen ist persönliche Entweihung; sie begründet, wenn die Voraussetzungen des Codex 2195 gegeben sind, den strafbaren Tatbestand des Sakrilegs (c 2325) und unterliegt den gegen Sittlichkeitsvergehen von Geistlichen gerichteten Strafandrohungen.« – Jetzt überschlag' ich ein bißchen, aber hör dir das an: »Zur Sicherung des Zölibatsgesetzes dienen folgende Verhaltensregeln gegenüber dem weiblichen Geschlecht. Um der Gefahr der Unenthaltsamkeit und der Erregung von Verdacht und Ärgernis vorzubeugen, darf ein Geistlicher weibliche Personen, gegen die (z.B. wegen ihrer Vergangenheit, Jugend, körperlichen Reize) Verdacht entstehen könnte, weder in seinem Haushalt aufnehmen noch öfter besuchen oder zu Besuch empfangen. Gestattet ist nur das Zusammenwohnen mit Frauen, bei denen entweder zufolge naher Verwandtschaft (z.B. Mutter, Schwester, Tante, Nichte) oder wegen ihrer ehrbaren Lebensführung in Verbindung mit einem vorgerückten Alter (etwa 35 bis 40 Jahre) kein Argwohn entstehen kann. Dem Ortsoberhirten steht das Urteil darüber zu, ob das Zusammenleben mit oder der Besuch von Frauen, auch solchen, auf die gemeinhin kein Verdacht fällt, in einem besonderen Fall Ärgernis bedeuten oder die

Gefahr der Unenthaltsamkeit herbeiführen können. Widersetzlichkeit gegen den Befehl des Oberhirten, eine Person zu entlassen oder den beiderseitigen Besuch einzustellen, begründet die Rechtsvermutung des Konkubinats. Der Kleriker trägt also die Beweislast dafür, daß kein Konkubinat vorliegt.« Er hat sich also schon strafbar gemacht, weil das Mädchen jeden Tag zu ihm kam. Sie ist 26 und hübsch und keine Nichte – willst du noch mehr hören?

KÄTHE: Nein, danke. Das ist ja geradezu kränkend – eine Frau von 35 bis 40 – vorgerücktes Alter!

TOBSER *(lacht)*: Daran stoßen sich die meisten Frauen. *(ernst)* Jedenfalls weiß ich, wie jemand in einen Konflikt geraten kann, der uns nebensächlich erscheint.

KÄTHE: Auch Polizeibeamte geraten durch ihren Beruf in Konflikte.

TOBSER: Allerdings. Aber es ist selten ein Grund, sich umzubringen.

KÄTHE: Manchen geht's an die Ehre.

TOBSER: Nenn es meinetwegen Ehre. Aber ich sehe an der Ehre dieses Kleinen nichts kaputt.

KÄTHE: War er wirklich so klein?

TOBSER: Er war blond, 58 Kilo, blaue Augen, 1,68 – das ist gar nicht so klein, aber ich weiß nicht – *(zuckt die Schultern)* – ich nenn' ihn bei mir immer den Kleinen, und verflucht, ich möchte herauskriegen, warum er sich umgebracht hat und warum ihn keiner identifizieren wollte.

KÄTHE: Er ist tot, und es war Selbstmord. Du hast 'rausgekriegt, was 'rauszukriegen war. Willst du ihm nicht seine Ruhe lassen?

TOBSER: Ruhe hat er genug. Ja, und ich hab' alles 'raus, was 'rauszukriegen war. Bis 53 in diesem Waisenhaus. Die Oberin hat sich seiner noch erinnert, weil er so ein guter Junge war und sie alle stolz auf ihn waren. Von 53 bis 62 in einem Konvikt, alles aktenkundig: mittelmäßiger Schüler, aber fromm und sehr beliebt, was beides zusammen selten vorkommt, wie man mir sagt. Nach 62 Theologiestudium, im Herbst vorigen Jahres zum Priester geweiht, und nach einem halben Jahr haut er plötzlich einfach ab, nimmt sich ein Hotelzimmer, schluckt ein Röhrchen Schlaftabletten, ohne sich auszuziehen – was die meisten übrigens tun –, und da find' ich ihn, ganz friedlich sah er aus.

KÄTHE: Dann laß ihm doch diesen Frieden.

TOBSER: Ihm ja. Aber den anderen nicht. Von dreien weiß ich sicher, daß sie ihn gekannt haben, vier eigentlich. Deshalb *muß* ich noch einmal mit ihr reden. Wenn sie ihn wirklich gern gehabt hat, sollte sie mir helfen.

KÄTHE: Vielleicht ist es was ganz Privates, Intimes, und sie meint, es geht die Polizei nichts an.

TOBSER: Dann soll sie das sagen, aber – *(eifrig)* – einer von diesen dreien soll sich doch stellen und sagen: ja, das war er: Bonifatius Christ, 26 Jahre alt, Priester. Mehr will ich nicht. Ein Mensch hat doch einen Namen, verflucht, und wenn er künstlich ist. Als ich zu einem Vorgesetzten ging, hatte ich das Foto noch, und ich weiß, ich weiß, daß dieser hohe Herr damals Leiter des Waisenhauses war, er hat den Jungen getauft, ihm diesen Namen gegeben, sich um ihn gekümmert ... Zu seinem besten Freund, diesem Kumpert, bin ich gegangen, hab' ihm das Foto gezeigt und ihn gebeten, mit mir zu kommen und ihn zu identifizieren. Nichts. Er ist blaß geworden und hat mich weggeschickt. Verstehst du nicht, daß ich herauskriegen möchte, warum sie alle schweigen? Daß ich noch einmal zu ihr muß, bevor die Akten endgültig verschwinden. *(heftig)* Ich kann das nicht so laufen lassen. Ich bin ja bald zurück, es ist nicht weit. *(geht zur Tür)*

KÄTHE *(geht ihm nach, küßt ihn, spricht leise):* Es hat einen Fall von Selbstmord gegeben, wo du nicht so hartnäckig warst.

TOBSER *(leise):* Ja.

KÄTHE: Du hast geschwiegen. Du hast nicht einmal seiner

Frau die Wahrheit gesagt. Und ich bin nur einmal verhört worden – von dir.

TOBSER: Ich hatte den Fall geklärt, ich wußte das Motiv – ich habe nur dafür gesorgt, daß die Zeitungen nichts erfuhren – und seine Kinder nicht.

KÄTHE: Und weißt du denn so genau, ob es nicht auch in diesem Fall besser ist, wenn die Zeitungen – und die Kinder nichts erfahren?

TOBSER: Gut. Wenn seine Freunde mich überzeugen, daß es besser wäre. Gut. Aber davon überzeugen müssen sie mich. *(trennt sich von Käthe)* Ich muß noch einmal mit ihr reden. Laß mich. Komm. Hast du Angst?

KÄTHE: Ja. Ich hab' Angst. Ich hab' das Gefühl, du solltest die Hände davon lassen.

TOBSER: Ich bin bald wieder da.

II

(Käthe, die zurückbleibt, knipst die Dekoration aus, die von Greta wieder angeknipst wird: Das Zimmer in Schneiders Wohnung ist um einige Stufen luxuriöser als Käthes Appartement (irgendeine Klischee-Luxuswohnung aus ›Schöner Wohnen‹ oder so). Schneider ist zur Tür gelaufen und steht Greta gegenüber; er hat die Krawatte, noch ungebunden, schon umhängen, knöpft sich gerade sein Oberhemd zu; Schneiders Jacke hängt über einer Stuhllehne; er umarmt Greta flüchtig, küßt sie, sie löst sich von ihm und setzt sich müde auf einen Stuhl. Die Tageszeit ist die gleiche wie in Szene I. Greta ist einfach, aber kostspielig gekleidet, trägt wenig, aber teuren Schmuck.)

SCHNEIDER: Du hättest nicht herkommen sollen. Ich war auf dem Sprung in – in unsere Wohnung.

GRETA: Gut, daß ich noch früh genug gekommen bin. Ich will nicht mehr dorthin.

SCHNEIDER: Du weißt, wir haben eine Verabredung. In vierzig Minuten wird er dort sein. Pünktlich. Höflich. *(leiser)* Manchmal denke ich, er wäre fähig, aus Höflichkeit zu sterben.

GRETA: Du wirst allein hingehen müssen.

SCHNEIDER: Was ist passiert? *(geht auf sie zu, leiser)* Es war nicht klug, herzukommen.

GRETA: Meinst du, es wäre klüger gewesen, in die andere Wohnung zu gehen? Heute morgen habe ich eine Abschrift unseres Dossiers neben dem Toastständer auf dem Frühstückstisch gefunden. Ihre Adresse steht drin, – *(öffnet ihre Handtasche)* – willst du's sehen? *(hält ihm ein ziemlich dickes Manuskript hin)*

SCHNEIDER: Ich habe dir alles erzählt, sogar Details meiner Flucht, die da wahrscheinlich nicht drinstehen. *(macht eine abwehrende Handbewegung)* Wozu soll ich das lesen? Hast du etwas entdeckt, was ich dir nicht erzählt habe?

GRETA *(ohne Bitterkeit):* Nein, nein. Ich habe alles wiedergefunden: Findelkind, 1944 zwischen Dresden und Meißen im Chausseegraben gefunden, sieben Jahre alt, Name: Bert Schneider. Keine Eltern, keine Verwandten. Staatliches Heim. Guter Schüler. Chemiearbeiter. Fernkurse in Philosophie und Literatur. Mit Glanz absolviert. Parteibeauftragter in einem politischen Verlag. Später beim Staatssicherheitsdienst. Seit einem Jahr im Westen – Flucht unter sehr mysteriösen Umständen.

SCHNEIDER: Auch die mysteriösen Umstände kennst du.

GRETA: Und sie stehen auch drin.

SCHNEIDER: Und halten sie mich nun für einen Spitzel oder nicht?

GRETA: Offenbar sind sie sich darüber noch nicht im klaren.

SCHNEIDER *(bindet seine Krawatte, nimmt seine Jacke von der Stuhllehne):* Komm, Greta, wir gehen. Ich kann ihn nicht warten lassen, Greta ... ich muß hin. Willst du nicht mitgehen?

GRETA: Nein. Ich kann nicht mehr dorthin. *(hebt das Manuskript ein wenig hoch)* Jedes, jedes einzelne unserer Rendezvous ist vermerkt. Mit Datum und Uhrzeit – *(zitiert, ohne ins Manuskript zu blicken)* – Donnerstag, 1. Oktober, 17.30 Uhr bis 21.20.

SCHNEIDER: Ja, vor einer Woche. Du hast dir ein Taxi zum Flugplatz genommen und bist mit deinem Mann nach Indien geflogen. Wo wart ihr?

GRETA: In Bombay. Irgendeine Niederlassung einweihen.

SCHNEIDER: Wie war's?

GRETA: Kurz und schmerzlos, wie immer.

SCHNEIDER: Nichts von Indien gesehen?

GRETA: Nicht viel. Die Hotels sind überall gleich. Saris und Cocktails – *(zuckt die Schultern)* – wie hier bei einem Empfang der indischen Botschaft. Besichtigungsfahrt. Keine Minute allein – ich hab mich darauf gefreut, wieder hier zu sein. Gestern spät in der Nacht sind wir zurückgekommen – und heute morgen das. *(zeigt auf das Manuskript, bitter)* Der Verfassungsschutz hat also an unseren Zärtlichkeiten teilgenommen. Dich scheint das gar nicht zu überraschen? Wußtest du, daß wir beobachtet werden?

SCHNEIDER: Ich bin vom ersten Tag an beobachtet worden. Ich wußte, daß sie die Wohnung kennen und wissen, daß wir uns dort treffen. Daß sie so genau Buch führen, wußte ich nicht. Aber mit ihnen ist es wie in Abwandlung eines Spruches aus eurer Bibel: Wo drei oder vier von euch versammelt sind, da bin ich mitten unter euch. Wo du irgendwas über irgendwen sagst, oder irgendwas von irgendwem weitererzählst, bei einem ihrer Ämter schlägt es zu Buche. Bei dem einen oder bei dem anderen, meistens bei beiden, denn das eine Amt hat wieder seine Leute im anderen und das andere seine Leute im einen Amt sitzen usw. usw. Deshalb bringt nichts den Apparat so durcheinander wie die Wahrheit, und deshalb ist die Wahrheit die reinste Form der Verlogenheit. *(legt ihr beide Hände auf die Schultern)* Ich muß weg, Greta, ich kann ihn nicht warten lassen.

GRETA: Auch unsere heutige Verabredung steht drin. Mittwoch, den 7. Oktober, 17.30 Uhr.

SCHNEIDER *(stutzt):* Das kann doch nicht – es ist bestimmt keine Abhöranlage drin. So wichtig bin ich nicht; so wichtig ist das nicht, was wir uns zu sagen haben.

GRETA *(blättert das Manuskript auf, hält ihm die letzte Seite hin):* Aber hier steht's. *(Schneider nimmt ihr das Manuskript aus der Hand, blickt auf die letzte Seite, nickt)* Woher können sie das wissen?

SCHNEIDER *(gibt ihr das Manuskript zurück):* Es gibt nur eine Möglichkeit: daß sie mein Telefongespräch mit *ihm* abgehört haben. Ich hab' ihn für heute eingeladen, hab' ihm gesagt, daß du dich freust, ihn kennenzulernen, ich hab' ihm die Wohnung beschrieben und die Uhrzeit gesagt. Das war vor vier Tagen. Seitdem war ich unterwegs, ich bin erst vor einer Stunde zurückgekommen. *(schüttelt den Kopf)* War diese Fotokopie in einem Briefumschlag?

GRETA: Ja. Verschlossen.

SCHNEIDER: Frankiert und mit Poststempel?

GRETA: Ja. Wer kann sie mir geschickt haben?

SCHNEIDER: Jemand, der dir gut will. Verbrenn sie rasch, um ihm nicht zu schaden.

GRETA: Jemand, der mir gut will?

SCHNEIDER: Ja. Steht etwas von ihm drin?

GRETA: Ja. Mit vollem Namen: Bonifatius Christ. Wie kann man einen Menschen so nennen? Wie kann ein Mensch so heißen! Und daß er dich getauft hat. Daß ihr Freunde seid. Und daß er – der andere – was mit einem Mädchen hat.

SCHNEIDER: Er wird sein eigenes Dossier haben, bei dieser und bei seiner Behörde. Ich werde nicht schlau daraus. Es kann auch eine Warnung für mich sein – oder eine Drohung.

GRETA: Von wem?

SCHNEIDER *(zuckt die Schultern):* Ich weiß nicht, es kann

uns beiden gelten – oder ihm. Du willst wirklich nicht mitfahren? Soll ich ihn herbringen?

GRETA: Nein. Ich warte hier auf dich. Und: bring ihn nicht mit. *(blickt Schneider an)* Manchmal denke ich, du hast ihn erfunden. Seinen Namen, seinen Lebenslauf – wie dein Name und dein Lebenslauf erfunden klingt. *(steht auf, tritt nahe an Schneider heran)*

SCHNEIDER *(umarmt sie):* An mir ist nichts erfunden, nicht einmal mein Name. Und nichts an meinem Lebenslauf. Und sein Name – ja, der ist schlimm, aber er selbst ist da; es gibt ihn. *(lacht)* Du wirst ihn mögen. *(leise)* Geh mit mir, sieh ihn dir an, und du wirst seinen Namen vergessen.

GRETA: Wie redest du ihn an?

SCHNEIDER *(lacht):* Eine Zeitlang habe ich ihn Bonaparte genannt, dann Bonaventura, sogar Bonny – im Spiel haben wir manchmal unsere Existenzen vertauscht; er hat meine Rolle übernommen, ich seine – dabei haben wir festgestellt, daß ich ein guter Kleriker geworden wäre.

GRETA: Und er ein guter Funktionär beim Staatssicherheitsdienst?

SCHNEIDER: Warum nicht? Du vergißt seine Fähigkeit zu glauben, zu gehorchen und einzusehen, daß – daß die Menschen opfern müssen.

GRETA: Und einzusehen, daß sie geopfert werden müssen?

SCHNEIDER: Nein. Und darin waren wir einig. *(leiser)* Das wird ihn in Schwierigkeiten bringen, Konflikte wird er haben, weil er andere nicht opfern kann.

GRETA: Das Mädchen?

SCHNEIDER: Ja, auch sie. Und andere. Mich. Dich.

GRETA: Du hast dir ein Bild von ihm gemacht. Ich habe Angst, daß ich ihn anders sehen werde, als du ihn siehst, daß er ein ganz anderer ist. Auch du hast Angst.

SCHNEIDER: Ja. Er ist fremd hier, und ich liebe ihn. Fremd und einsam und weiß nicht, daß er über Wasser geht. Alle erwarten von ihm, daß er etwas tut, daß er politisch wird. Er ist es und weiß es nicht. Er wird es schwer haben.

GRETA: Hast du's auch schwer gehabt?

SCHNEIDER *(sehr kurz):* Ja. Das ist nicht der Rede wert, wie schwer ich's gehabt haben mag. *(leiser)* Ich habe gespielt – ich habe mich hochgespielt.

GRETA: Und das bisher höchste Spiel war deine Flucht.

SCHNEIDER: Ja.

GRETA: Gelungen? Ist das Spiel gelungen?

SCHNEIDER: Ich weiß nicht. Jedenfalls noch nicht verloren. Man hat mich für einen Sonderauftrag ausersehen, mir in die Hand geschossen der Glaubwürdigkeit wegen, mich zum Stacheldrahtzaun gebracht und hinter mir her geschossen, wobei ich wußte, daß kein Geschoß treffen würde. Ich bin durchgekommen, weil ich den Minenplan vorher genau studiert habe und habe der Polizei hier alles erzählt, sogar die Tatsache, daß der Schuß nur eine Präparierung war. Und sie haben gedacht, daß auch das zur Präparierung gehört. Jetzt erwarten beide den großen Coup von mir.

GRETA: Wirst du ihn liefern? Hast du dich deshalb hier so rasch hochgespielt?

SCHNEIDER: Nein. Ich tue für die einen sehr wichtige Arbeit, die ich sehr gut bezahlt bekomme – und die den anderen nicht schadet. Offenbar macht das die einen und die anderen immer nervöser, und was sie alle verrückt macht: daß ich nie lüge, weil ich gar nicht zu lügen brauche; das ist die Position einer so totalen Verlogenheit ...

GRETA: Und also brauchtest du auch nicht zu verschweigen, wo wir uns treffen.

SCHNEIDER: Aber – *(lacht böse)* – das ist das, was sie Intimsphäre nennen; das ist unter Gentlemen tabu, es ist nicht Gegenstand einer Aussage oder eines Verhörs – das kramt man erst hervor, wenn man jemand erpressen will. Wenn ich nur wüßte, ob diese Warnung oder diese Drohung mir gilt oder dir.

GRETA: Hättest du nicht die Möglichkeit, das herauszufinden?

SCHNEIDER: Ja. Ich müßte mich nur wieder in ihre oder in deren Hände begeben – im übrigen ist es gleichgültig, ob sie oder die anderen mich, oder ob sie dich erpressen wollen. *(blickt auf seine Uhr)* Wir werden noch Zeit haben, darüber nachzudenken. Wir müssen weg, du gehst doch mit mir?

GRETA: Warum hast du ihn dorthin bestellt?

SCHNEIDER: Weil ich möchte, daß du ihn kennst – und er dich. Und in diese Wohnung hier wolltest du nie kommen.

GRETA: Jetzt bin ich hier.

SCHNEIDER: Und er wartet dort. Willst du mir die zwanzig Minuten lassen, die ich brauche, ihn von dort nach hier zu bringen?

GRETA: Kannst du die Verabredung nicht verschieben?

SCHNEIDER: Soll ich ihn dort vor der Tür stehen lassen. Er wird warten, warten, stundenlang warten.

GRETA: Liegt dir so viel an ihm?

SCHNEIDER: Ja. Er weiß alles von mir, und ich weiß viel von ihm, was keiner außer mir weiß, was auch nie jemand außer mir erfahren wird.

GRETA: Auch ich nicht?

SCHNEIDER: Nein keiner. Ich würde es nie hergeben. Es gehört ihm.

GRETA: Etwas Schlimmes?

SCHNEIDER: Nicht etwas und nichts Schlimmes. Frag nicht. Indem du es aussprichst, kannst du auch das Gute verraten.

GRETA: Das klingt fast, als wärst du treu.

SCHNEIDER: Hast du daran gezweifelt? Ach komm doch mit, Greta. Überzeug dich davon, daß ich ihn nicht erfunden habe. Schau ihn dir an, sprich mit ihm. Warum hast du Angst?

GRETA: Vielleicht – weil ich – ich habe noch nie einen Christen gesehen.

SCHNEIDER *(zuckt zusammen, blickt sie an)*

GRETA *(leiser):* Und vielleicht – ich will dich nicht doppelt haben.

SCHNEIDER: Doppelt? Ich bin zehn Jahre älter als er, und wir haben nicht die geringste Ähnlichkeit miteinander.

GRETA *(lächelt):* Gut. Überzeug mich davon. Gehen wir.

III

(Schneider knipst im Herausgehen die Dekoration aus, Tobser, der ihn sozusagen ablöst, knipst sie wieder an, man sieht Annas Zimmer, in dem Bücher und Schallplatten umherliegen. Anna sitzt am Tisch, raucht und blickt starr vor sich hin.)

TOBSER: Ja, da bin ich wieder. Diesmal komm ich privat. Haben Sie eine halbe Stunde Zeit? *(Anna blickt ihn an, antwortet nicht)* Ich hätte es Ihnen gerne erspart. Das Gespräch gestern – und heute. Das war wohl schlimm für Sie, Fräulein?

ANNA *(kühl):* Wie meinen Sie das?

TOBSER *(freundlich):* Ich habe Sie um eine Privatunterhaltung gebeten. Sie können das ablehnen und mich bitten, Ihr Zimmer zu verlassen. *(Anna antwortet nicht)* Sie können höflich sein, mir eine Viertelstunde gewähren, in der wir uns über die heutige Jugend, das Wetter und die Textilpreise unterhalten.

ANNA: Unsere Unterhaltung wird also nicht amtlich sein.

TOBSER: Sie könnte amtliche Folgen haben, aber nur eine: daß seine Identität bestätigt und vielleicht sein Motiv aktenkundig wird.

ANNA: Heute wissen Sie also, wer der Tote war, und wollen die Identität nur bestätigt haben?

TOBSER: Gewußt habe ich es gestern schon. Aber wenn alle, die ihn gekannt haben, ihn verleugnen, habe ich keine Beweise für die Identität. Sie, Kumpert, Herkens – keiner wollte mitgehen und ihn erkennen. Ich habe das Gruppenbild seines Weihejahrgangs und könnte natürlich alle abklappern, die drauf sind.

ANNA: Interessiert Sie das alles als Kriminalbeamter oder ...

TOBSER: Als Mensch wollten Sie sagen. Sie brauchen gar nicht zu zögern, dieses merkwürdige Wort auszusprechen. Ich bin ein Mensch. Es interessiert mich in meinen beiden Eigenschaften.

ANNA: Und Sie könnten mich zwingen, auszusagen?

TOBSER: Nein. Zwingen könnte ich Sie, wenn ich überzeugt wäre, daß Zusammenhang mit einem Verbrechen besteht. Amtlich ausgedrückt: daß durch Ihr und der anderen Schweigen die Aufklärung eines Verbrechens verhindert wird.

ANNA: Und dieser Überzeugung sind Sie nicht?

TOBSER: Nein. Mein Gespräch mit Ihnen ist nicht einmal durch meine Kollegen und Vorgesetzten gedeckt. Sie könnten also ans nächste Telefon gehen, anrufen und sagen, daß ich Sie immer noch in dieser Sache belästige – und Sie würden mich in eine unangenehme Lage bringen. Der Fall ist amtlich abgeschlossen. Daß Kumpert ihn auf dem Foto nicht erkannt haben will, kann ich verstehen – Herkens verstehe ich noch besser, aber Sie –

ANNA: Sie meinen, ich sollte Ihnen helfen?

TOBSER: Ja.

ANNA: Gegen wen helfen – oder für wen?

TOBSER: Ich will wissen, warum er's getan haben kann.

ANNA: Woher soll ich das wissen? Er wird wohl seine Gründe gehabt haben, spurlos, namenlos zu verschwinden. Sollte man die Motive, auch wenn man sie nicht kennt, nicht respektieren?

TOBSER: Es ist mein Beruf, Spuren, Namen und Motive zu finden.

ANNA: Lassen Sie ihn in Frieden. Es steckt kein Verbrechen dahinter.

TOBSER *(fest)*: Ich will nur, daß einer von Ihnen seinen Namen, seine Existenz bestätigt – er soll einen Namen haben. Die amtliche Schlußeintragung lautet: Selbstmord eines Unbekannten in Priesterkleidung in einem Hotel. Motiv: unbekannt.

ANNA: Das war sein Lieblingsthema: ich habe dich bei deinem Namen gerufen, du bist mein.

TOBSER: Das klingt sehr gut. Habe ich noch nie gehört: ich habe dich bei deinem Namen gerufen, du bist mein. Es war wohl sein Lieblingsthema, weil er keinen Namen hatte. Wollen Sie ihm nicht wenigstens den armseligen künstlichen Namen wiedergeben, den man ihm angehängt hat?

ANNA: Wenn ich wüßte – *(Tobser blickt sie fragend an)* – wenn ich wüßte ... Kumpert hat ihn nicht identifiziert?

TOBSER: Ist Ihnen klar, daß Sie ihn mit dieser Frage identifiziert haben?

ANNA *(kühl):* Nicht amtlich, wenn ich Sie recht verstanden habe.

TOBSER: Nein.

ANNA: Und Kumpert?

TOBSER: Als ich ihm das Foto zeigte, hat er sich abgewendet und mich gebeten, sein Zimmer zu verlassen. Ich glaube, er hatte Anweisung, ihn nicht zu kennen oder zu erkennen.

ANNA: Sie scheinen ihn – den Toten – gemocht zu haben?

TOBSER: Das mag komisch klingen. Ja, ich habe ihn gemocht. Er war noch nicht lange tot, und dann sehen sie manchmal aus, als ob sie nur schliefen.

ANNA *(steht auf, geht auf Tobser zu):* Kann ich ihn sehen?

TOBSER *(zögert):* Nein. Er ist schon eingeäschert und als Namenloser beigesetzt worden. *(Anna nimmt die Hände vors Gesicht, bleibt starr vor Tobser stehen)* Nicht auf meine Anweisung. *(spricht leiser)* Was würden Sie tun, wenn Sie ihn noch einmal sehen könnten?

ANNA *(nimmt die Hände vom Gesicht, spricht ruhig):* Ich weiß nicht, was ich tun würde. Da ich ihn nicht mehr sehen kann, weiß ich keine Antwort auf Ihre Frage. *(geht wieder zum Tisch zurück)* Hier im Dorf haben sie das Gerücht ausgestreut, er wäre in den Osten gegangen. Einfach nur: in den Osten gegangen. Das ist so gut erfunden – die meisten Leute glauben es. Daß er Selbstmord begangen hat, wird keiner glauben.

TOBSER: Sie auch nicht?

ANNA: Ich weiß nicht, Sie sind der einzige Augenzeuge.

TOBSER: Ein Augenzeuge, der keine Beweise mehr hat. Nur ein Foto, auf dem man jemanden erkennen kann, der so aussieht, als schliefe er.

ANNA: Und Sie glauben, er war es? Tot?

TOBSER: Ja. Er war es, und er war tot.

ANNA: Sie, der ihn lebend nie gesehen hat – und der ihn als Toten nicht mehr vorzeigen kann.

TOBSER *(geht auf sie zu, packt sie am Arm)*: Wollen Sie wirklich – wollen Sie im Ernst anfangen zu glauben, daß er noch lebt?

ANNA: Nein, nein. Wüßte ich nur, warum. *(blickt zu Tobser auf)* Sicher wäre es denen recht gewesen, wenn ich das Motiv abgegeben hätte. Aber dazu sind sie zu klug. Die Leute im Dorf haben über uns beide getuschelt, geredet, geklatscht, sogar denunziert haben sie uns – aber merkwürdigerweise, ich weiß nicht, warum, hatten sogar seine – seine Vorgesetzten Scheu, ihm das anzuhängen. *(lächelt)* Es ging nicht, wissen Sie, es ging einfach nicht. Er hat sich um die Anzeigen nicht gekümmert, und sie ließen ihn gewähren. Er war so beliebt, und als der Pfarrer starb, wohnte er allein im Pfarrhaus. Er freute sich, wenn ich kam, und ich freute mich, wenn ich bei ihm war – dann kam eines Tages ein ziemlich hoher Herr ...

TOBSER: Wie hieß er?

ANNA: Ich weiß nicht, wie er hieß. Er platzte einfach rein. Wir saßen da, tranken Kaffee, hörten Platten, hatten beide die Schuhe ausgezogen – und plötzlich stand er da in der Zimmertür. Es machte ihn wütend, daß wir gar nicht verlegen wurden. Wir nahmen nur die Füße vom Sofa, und ich ging in die Küche und holte eine Tasse, goß ihm Kaffee ein. Er saß dann da und starrte mich an, wie – nun, ich denke mir, daß Zuhälter ein Mädchen so ansehen, und dann sagte er, es sei ja nicht zweideutig, sondern eindeutig, was mit uns los sei, aber schicklich sei es nicht, und ob es nicht besser wäre, wenn wir in die Stadt gingen und uns ein Hotelzimmer mieteten.

TOBSER: Wann ist das gewesen?

ANNA: Vor vierzehn Tagen.

TOBSER: Und vor drei Tagen ist er dann wirklich weggefahren und hat sich ein Hotelzimmer gemietet. Warum sind Sie nicht mitgefahren?

ANNA *(leise)*: Er hat mir nichts gesagt, aber ich hätte es wohl wissen müssen. *(blickt Tobser verlegen an)* – Es war etwas kaputt – wir schämten uns plötzlich, wenn wir allein waren; ich ging nicht mehr so oft hin – ich – es ist so schwer zu erklären – wahrscheinlich wären wir eines Tages wirklich zusammen weggefahren, ja, aber nachdem der es uns geraten hatte, konnten wir's doch nicht – und vielleicht hätten wir nie mehr gekonnt. Verstehen Sie? Dieser Herr legte uns nahe, was noch gar nicht nahe lag – und dann lag's plötzlich da und stank.

TOBSER: Was sagen Sie da?

ANNA: Ich sagte: es stank. Vielleicht hat er sich umgebracht, weil er den Gestank nicht mehr ertragen konnte. *(lacht böse)*

TOBSER: Das würde erklären, warum er Sie nicht mitgenommen hat.

ANNA: Verstehen Sie nicht?

TOBSER: Nein.

ANNA: Es geht nicht um das, was wir in einem Hotelzimmer getan hätten oder hätten tun können. Verstehen Sie?

TOBSER: Vielleicht ein wenig mehr als bisher. Sie glauben nicht, daß der – der Besucher selbst das Motiv war?

ANNA: Nein, er war nicht dumm genug, den wichtig und

ernst zu nehmen. Wer hat denn die Einäscherung befohlen?

Tobser: Das weiß ich nicht, das könnte ich aber 'rauskriegen. Es würde uns nicht viel helfen! Man hat klugerweise von einer Möglichkeit Gebrauch gemacht, die nicht gesetzwidrig ist.

Anna: Und diese kurze Frist – ist die noch legal?

Tobser *(zuckt die Schultern)*: Bei einem Unbekannten, bei dem eindeutig Selbstmord vorliegt – es ist, vorsichtig ausgedrückt, ein bißchen voreilig. Ach, wissen Sie, in einem solchen Falle werden viele, viele Telefongespräche geführt, von denen ich nichts erfahre. Die Staatsanwaltschaft. Die hohe Kirchenbehörde. Das Polizeipräsidium – wieder die hohe Kirchenbehörde, und so weiter. Als Begründung bietet sich an, daß wir so schrecklich viel Platz in unseren Eisschränken nicht haben. Offenbar gibt es Leute, die interessiert daran waren, ihn spurlos verschwinden zu lassen. Verstehen Sie jetzt, warum ich nicht lockergelassen habe?

Anna: Ja.

Tobser: Und Sie haben mir immer noch nicht gesagt, welches Motiv Sie vermuten.

Anna: Nein?

Tobser: Nicht ganz genau.

Anna: Erwarten Sie von mir, daß ich Ihnen ein Protokoll diktiere? Wollen Sie nicht verstehen, oder können Sie nicht?

Tobser: Ja, ich weiß, der Gestank ...

Anna *(böse)*: Ja. Und vielleicht haben Sie schon einmal das Wort Unschuld gehört? Nicht die Unschuld, die in euren Akten steht, wenn ihr einen laufenläßt, mangels Beweises – nein, auch nicht eure »erwiesene Unschuld« – es gibt da noch eine andere, die nicht in euren Akten steht – und manch einer ist schon vergiftet, bevor er selbst Gift nimmt – und – *(immer noch böse)* – glauben Sie nur nicht, daß er Depressionen hatte oder melancholisch war. Fröhlich war er, aß gern, trank gern, und getanzt haben wir sogar, und er konnte so schön singen. Nur einmal vorher habe ich ihn traurig gesehen: als er Schneider taufen mußte. *(faßt sich an den Kopf)* Schneider! Haben Sie mit ihm nicht gesprochen?

TOBSER: Schneider kam mir nicht wichtig genug vor.

ANNA: Das ist Ihr großer Fehler – Schneider ist so wichtig wie ich.

TOBSER: Ich hab Schneider nicht so recht ernst genommen.

ANNA: Sie täuschen sich. Zwei Menschen hat Schneider bestimmt ernst genommen – ihn und mich. Und Schneider hätte getan, was wir alle nicht getan haben. *(leise)* Könnte ich ihn denn noch identifizieren?

TOBSER: Nein. Jetzt nicht mehr. Gestern hätten Sie es noch gekonnt. Würden Sie es jetzt tun?

ANNA: Ja. Ich kann's noch nicht glauben – ich kann's nicht fassen, bis ich ihn gesehen habe.

TOBSER: Sie werden ihn nicht mehr sehen.

ANNA: Dann werde ich es nicht glauben.

TOBSER: Würden Sie mit mir zu Schneider fahren?

ANNA: Ja, er hat ihn geliebt.

TOBSER: Wer wen?

ANNA: Beide einander.

TOBSER: Und beide Sie auf eine besondere Weise?

ANNA: Ja. Fahren wir zu ihm. Sie wissen, wo er wohnt?

TOBSER: Er hat zwei Wohnungen. Eine für seine Rendezvous und eine offizielle. Um diese Zeit wird er wohl in seiner inoffiziellen sein.

ANNA: Verraten Sie mir nicht ein bißchen mehr, als Sie dürfen?

TOBSER: Sie wissen schon genug. Kommen Sie. *(nimmt sie am Arm und geht mit ihr ab)*

IV

(Diesmal nimmt Schneider Tobser den Schalter aus der Hand, knipst, nachdem Tobser Annas Wohnung ausgeknipst hat, das Appartement an, in dem er sich mit Greta immer getroffen hat. Die Luxusstufe entspricht der in Szene II, nur in Farbtönen und Details ein wenig verschieden. Greta und Schneider gehen ein paarmal, getrennt voneinander, unruhig auf und ab, bis Greta stehenbleibt.)

GRETA: So pünktlich scheint er doch nicht zu sein.

SCHNEIDER: Er wird gleich kommen. *(geht zur Fensterbank, gießt zwei Gläser voll, bringt Greta eins, hebt stumm das Glas)* Trinken wir auf diese Wohnung, in der wir uns nie mehr treffen werden.

GRETA *(hebt ihr Glas):* Wo – wo werden wir uns treffen? In diesem Augenblick schreibt der Spitzel in sein Notizbuch: 17.30 – Herr Schneider und Frau Buhr betreten gemeinsam die Wohnung.

SCHNEIDER: Und in ein paar Minuten wird er feststellen: Herr Bonifatius Christ betritt ebenfalls die Wohnung.

GRETA *(hält sich die Ohren zu):* Ich weiß nicht, warum, aber ich kann den Namen nicht hören.

SCHNEIDER: Du brauchst ihn nicht so zu nennen. Sag nur nicht Sie zu ihm.

GRETA: Soll ich etwa du zu ihm sagen?

SCHNEIDER: Ja. Ich habe gleich du zu ihm gesagt, als ich ihn kennenlernte. *(Greta blickt ihn erstaunt an)* Ja. Ich weiß selbst nicht, wieso. Aber es stimmte ... er war der erste Mann, den ich sofort geduzt habe.

GRETA: Ich bin nicht die erste Frau, die du mit du anredest.

SCHNEIDER: Nein. Und du weißt es. Ich will nicht mehr von dir als dich.

GRETA: Das hast du den anderen auch gesagt.

SCHNEIDER: Ja, und es stimmte. Ich wollte nie mehr von ihnen als sie selbst.

GRETA: Von ihm willst du mehr als ihn selbst. Warum mußtest du zur römisch-katholischen Kirche übertreten?

SCHNEIDER: Ich bin nicht zu ihr übergetreten, ich bin in sie eingetreten – ich habe nie anderen Kirchen angehört.

GRETA: War es nötig, etwas so – so Unnatürliches zu tun?

SCHNEIDER: Unnatürliches? Bist du auf natürlichere Weise in diese Kirche geraten? Unwissend, ahnungslos – fast unschuldig oder schuldlos. Außerdem wollte ich in diese Partei, und da sie nun mal eine Christenpartei ist, mußte ich wohl in eine der Kirchen.

GRETA: Du bist also ein waschechter Opportunist.

SCHNEIDER: Nicht ganz waschecht, neugierig bin ich auch. Ich wollte nur sehen, wie es so unter Christen zugeht. Es gehörte zum Spiel – und es war notwendig, um mich hochzuspielen.

GRETA: Warum bist du wirklich rübergekommen? Haben sie dich gezwungen?

SCHNEIDER: Es wäre sinnlos, jemanden zu so etwas zu zwingen. Ich wollte hier rüber, nicht um hier etwas herauszuspitzeln, das können andere besser. Herausfinden wollte ich etwas.

GRETA: Und was hast du gefunden?

SCHNEIDER: Ach, meinen Kleinen hab' ich gefunden und dich und daß ich nicht hierher gehöre.

GRETA: Und wohin gehörst du?

SCHNEIDER: Dorthin, wo ich herkomme.

GRETA: Wirst du eines Tages dorthin zurückgehen?

SCHNEIDER: Ja.

GRETA: Werden sie dich einsperren?

SCHNEIDER: Vielleicht, vielleicht nicht. Wahrscheinlich ja. Trotzdem werde ich auf jeden Fall zurückgehen.

GRETA: Also doch kein Spieler.

SCHNEIDER: Vorsicht, Greta, jeder Spieler spielt um etwas.

GRETA: Warum mußte er dich taufen?

SCHNEIDER: Ich wollte es aus seiner Hand haben. Aus seiner Hand. Und diese Hand, mit der er mich taufte, gehört zu ihm. Du wirst sie bald in deiner Hand halten. *(lächelt, blickt auf die Uhr)* Noch nie ist er unpünktlich gewesen.

GRETA: Vielleicht war er vor uns hier und ist wieder gegangen.

SCHNEIDER: Er hätte gewartet. Ich kenne ihn, wie ich dich kenne – und ich möchte, daß ihr euch kennt.

GRETA: Vielleicht mutest du ihm ein bißchen zuviel zu. Ich bin so alt wie er, ich bin so erzogen wie er. Warum willst du, daß wir uns voreinander schämen?

SCHNEIDER *(geht auf sie zu, faßt ihre Hände):* Hast du dich geschämt, als ich zum ersten Mal mit dir hierher ging?

GRETA: Ja. Hast du es nicht bemerkt?

SCHNEIDER *(leise):* Ich hab's nicht für Scham gehalten. Ich dachte nur: so einfach ist das ja für sie nicht, und – *(mehr zu sich)* – viel Scham hab' ich hier nicht gefunden. *(Greta zieht ihn an sich)* Verzeih – wenn es dir lieber ist, geh ins Bad oder ins Schlafzimmer, und ich bring euch anderswo zusammen.

GRETA: Nein, jetzt soll er mich sehen, und ich will ihn sehen. Er wird sich schämen – wie ich.

SCHNEIDER: Warum schämen? Dein Mann hat dir doch sicher gegeben, was er deine Freiheit nennt. Diese Freiheit ist natürlich genauso verlogen wie meine Wahrheit. Die nackte Freiheit, die nackte Wahrheit. Ja, du mußt ihn sehen, er muß dich sehen. Schämen, das ist gut gesagt, Mädchen.

GRETA: Und nackt ist die Wahrheit auch in unserem Dossier. *(zeigt auf ihre Handtasche oder greift nach ihr)* Vielleicht haben auch Spitzel Phantasie: stell dir vor, was er sich vorstellt. Da brauchen sie keine Kamera, kein Mikrofon: ihre Vorstellung ist nackter als alles, was Film und Tonband hergeben können. Ich wünsche, wir könnten hier weg, weg. Mein Gott, sag mir doch, wozu denn das alles? Wozu?

SCHNEIDER *(leise):* Meinen Ruf können sie nicht schädigen. Aber dir könnten sie weh tun.

GRETA: Und damit könnten sie dich erpressen?

SCHNEIDER: Ja – es wäre schlimm für mich, wenn sie dir weh täten.

GRETA: Manchmal sagst du, ohne es zu wissen, hübsche Sachen.

SCHNEIDER: Wie? Wie meinst du das?

GRETA *(lacht)*: Das kann ich dir nicht erklären – will ich auch nicht: es ist zu schön, wenn du – wenn du ganz unschuldig bist.

SCHNEIDER: Ich unschuldig?

GRETA: Ja, aber das erklär' ich dir nicht. Wie können sie mir denn weh tun?

SCHNEIDER: Es gibt nicht nur Kameras und Mikrofone, nicht nur Dossiers. Es gibt auch Zeitungen – und denke an deine gesellschaftliche Stellung. An hohen kirchlichen Feiertagen gehst du immer noch an der Seite deines Mannes ins Pontifikalamt.

GRETA: Das tu ich gern. Ich gehe gern in Hochämter.

SCHNEIDER: Ja, diese Hochämter in euren schönen alten Kirchen – da geh' auch ich manchmal gern hin, möglichst nach Maria Laach. Dich aber begrüßt, wie es deiner Stellung entspricht, nach dem Amt der Bischof oder der Abt. Das ist alles fotografiert. Wie du in Waisenhäusern Gutes tust, mit der Sammelbüchse in der Hand am Eingang des besten Hotels stehst und für Biafra sammelst – oder für das durch Hochwasser geschädigte Florenz. Sogar die Progressiven beehrst du mit deiner Gegenwart. Wenn Kumpert ein teach in über Brasilien veranstaltet, sitzt du in der ersten Reihe und schüttelst ihm nachher die Hand. Alles fotografiert – und nach einem makellosen Lebenswandel hast du plötzlich einen Liebhaber, einen äußerst obskuren. Es gibt viele Leute, die das ungeheuer interessant finden und gern darüber lesen würden.

GRETA: Es gibt kaum eine Zeitung, die das meinem Mann antun würde. Jedenfalls hier nicht.

SCHNEIDER: Nein, hier nicht, aber anderswo, und du könntest es nicht einmal abstreiten.

GRETA: Wer würde damit anfangen, die einen oder die anderen?

SCHNEIDER: Erst die anderen, weil sie mich endlich an der Arbeit sehen wollen, auf meinen Coup zu, und auf deren Zeitung hat dein Mann sehr wenig Einfluß, und wenn ich dann an die Arbeit ginge, würde es für die einen auch interessant.

GRETA: Mein Mann hat auch Einfluß bei den anderen, indirekt natürlich. Ich glaube nicht, daß sie ihm so leicht was antun würden: Er könnte immerhin Lieferverträge nicht erneuern. Aber wirst du an die Arbeit gehen?

SCHNEIDER: Ich bin schon dran, aber es ist nicht die Arbeit, die sie von mir erwarten.

GRETA: Du würdest es auch nicht tun, um mich vor einem Skandal zu bewahren?

SCHNEIDER: Es würde dir nicht viel helfen.

(Man hört die Türklingel; die beiden gehen erschrocken auseinander, Schneider geht zur Tür, öffnet, Anna tritt ein, sie nickt Greta, die in die rechte Ecke zurückgegangen ist, flüchtig zu.)

SCHNEIDER: Hat er dir diese Adresse gegeben?

ANNA: Nein. Ein anderer.

SCHNEIDER: Aber er kommt nicht, er ist verhindert? Es ist ihm etwas dazwischengekommen?

ANNA *(ohne Ironie):* Ja, es ist ihm etwas dazwischengekommen. Er ist verhindert. Er ist tot, Bert. Tot. Du hast ihn erwartet?

SCHNEIDER *(geht auf sie zu, faßt sie an der Schulter):* Ja, und du kommst nur zehn Minuten später, als wir verabredet waren. Nein. Er ist nicht tot.

ANNA: Bist du so sicher? Warum sollte er nicht sterben?

SCHNEIDER: Hast du ihn tot gesehen?

ANNA *(erstaunt):* Nein.

SCHNEIDER: Ich werde es erst glauben, wenn ich ihn sehe.

ANNA: Unten in meinem Auto wartet der, der ihn gefunden hat. In einem Hotelzimmer.

SCHNEIDER: Etwa Selbstmord? *(lächelt)* Das muß ein Irrtum sein, eine Verwechslung.

ANNA: Du sprichst wie seine hohe Behörde. Geh runter und frag den Polizeibeamten.

SCHNEIDER *(geht zu Greta, nimmt sie am Arm, führt sie zur Tür, nimmt Anna mit der anderen Hand):* Ich werd' erst glauben, wenn ich ihn gesehen habe.

ANNA: Dann wirst du's nie glauben.

(Alle drei gehen durch die Tür ab)

GRETA: Guten Tag.

ANNA: Tag.

V

(Die Bühne bleibt, nachdem Greta die Dekoration ausgeknipst hat, einen Augenblick leer, bis Kumpert, der in Mantel, Hut, mit Regenschirm die Bühne betritt, die neue Dekoration anknipst. Der Raum ist kahler und strenger als in I und II. Die Proportion der Fenster zum Raum ist von der in I und II deutlich verschieden. An der Wand ein [projizierter] Kruzifixus, die Reproduktion einer Ikone. Tageszeit wie in der Szene vorher. In der Mitte des Raums steht unbewegt Kumpert. Herkens etwa drei – vier Schritte von ihm entfernt. Herkens und der später auftretende Mohrscheidt sind in dunkles Zivil gekleidet, sie brauchen nicht als Kleriker erkennbar zu sein, können wie seriöse Bankiers wirken. Herkens wirkt »sportlich«, ist groß, hat eine erkaltete Tabakspfeife in der Hand. Herkens ist höflich, aber nervös, Kumpert spricht kalt und unbewegt, auch mit dem später auftretenden Mohrscheidt.)

HERKENS: Ich habe Sie nicht erwartet. *(leiser)* Ich bin nicht allein. Vielleicht wäre es besser ...

KUMPERT: Ich mußte Sie sofort sprechen. Ich weiß, wer bei Ihnen zu Besuch ist. Ich hab' das Auto vor der Tür gesehen. Der Besuch mag mithören. Alle mögen mithören.

HERKENS: Sie sind sehr erregt, Kumpert, vielleicht ...

KUMPERT: Ich werde erregt bleiben.

HERKENS: Ich hab's ja bedauert, daß ich Sie bitten mußte, nicht zu diesem Polizeibeamten zu gehen.

KUMPERT: Ich war schon auf dem Konvikt mit ihm befreundet, auch im Seminar. Und ich habe ihn vor kurzem noch lebend gesehen, nach dem Besuch von Herrn Mohrscheidt.

HERKENS: Sie müssen sich täuschen. Sie haben – wie ich – nur ein Foto gesehen.

KUMPERT: Ich täusche mich nicht. Er versuchte schon bei mir, es loszuwerden. Ich hätte es wissen müssen.

HERKENS: Was loszuwerden?

KUMPERT: Was er durch seinen Selbstmord nun wirklich losgeworden ist.

HERKENS: Und das wäre?

KUMPERT: Seine Treue, seinen Glauben.

HERKENS: Sie sind zu hart, Kumpert. Ich glaube nicht mehr, daß alle Selbstmörder verdammt sind.

KUMPERT: Sie haben mich mißverstanden. Ich meinte weder seine Verdammtheit noch das Gegenteil davon. Ich meine ... was immer er außerdem losgeworden ist ... sein Bewußtsein ist er los.

HERKENS *(wendet sich ab):* Scheußlich. Scheußliche Sache. Sie haben ihn doch der Polizei gegenüber nicht identifiziert?

KUMPERT: Nein. Nachdem Sie mich angerufen hatten, habe ich ihn also verleugnet.

HERKENS: Verleugnen ist ein großes Wort, besonders aus Ihrem Mund. *(geht zum Fenster, spricht mehr zu sich selbst)* Er hatte keine Verwandten, es tut niemand weh, wenn er als Unbekannter in Priesterkleidung in die Polizeiakten eingeht. *(auf dem Weg vom Fenster zurück zu*

Kumpert) Es war gut, daß Sie meiner Anweisung gefolgt sind.

KUMPERT: Nein, es war nicht gut, und es wird nichts nützen. Der Polizeibeamte war hartnäckig, und er hat genau gemerkt, daß ich ihn in Wirklichkeit kannte.

HERKENS: Sicher einer dieser Atheisten, die froh sind, wenn wir wieder einmal eine Schlappe erleiden.

KUMPERT: Sie täuschen sich. Es war berufliche Hartnäckigkeit, keine politische oder weltanschauliche. Und ich verstehe diese Hartnäckigkeit.

HERKENS *(seufzend):* Es gibt Mittel, der Hartnäckigkeit eines Beamten, welche Motive sie auch haben mag, Grenzen zu setzen.

KUMPERT: Ich werde zur Polizei gehen und meine Aussage widerrufen. Dann werd' ich hingehen, ihn mir anschauen und ihm seinen Namen zurückgeben.

HERKENS *(lächelnd):* Sie zur Polizei?

KUMPERT: Ja.

HERKENS: Sie, der Mittelstürmer der innerkirchlichen APO, der Rechtfertiger von Märschen und Demonstrationen, Sie wollen zur Polizei gehen?

KUMPERT: Ja, zu diesem Beamten gehe ich, und Ihr Argument – *(kalt)* –, ich erspare mir Adjektive.

HERKENS *(väterlich):* Ich würde an Ihrer Stelle nicht hingehen. Es wird Ihnen Schwierigkeiten einbringen.

KUMPERT: Mit wem?

HERKENS: Mit Ihrer Behörde.

KUMPERT: Meiner Behörde liegt also daran, daß seine Identität geheim bleibt, obwohl es jemand gibt, der dafür Zeugnis ablegen kann, daß sein Motiv ehrenhaft war.

HERKENS: Halten Sie es für ehrenhaft, wenn ein Priester Selbstmord verübt, weil er – ich bediene mich Ihrer Hypothese, die ich nicht für erwiesen ansehe –, weil er seine Treue nicht loswerden kann?

KUMPERT: Meine Zunge ist gebunden.

HERKENS: Ich kann sie Ihnen nicht lösen.

KUMPERT: Vielleicht löse ich sie selbst.

HERKENS: Sie werden dieses Sakrileg nicht begehen.

KUMPERT: Ich wäre an Ihrer Stelle nicht so sicher. Verwandte hat er keine gehabt, aber es gab doch ein paar Menschen, die ihn mochten. Alle im Dorf hatten ihn gern. Soll man ihnen verschweigen, daß er ...

HERKENS *(müde)*: Im Verschweigen liegt oft die größere Menschlichkeit, lieber Kumpert. An Sterbebetten – nicht in meiner Eigenschaft als Priester, in meiner Eigenschaft als letzter Mensch an diesem Sterbebett –, es hätte auch eine Krankenschwester, ein Arzt, eine Putzfrau sein können; da habe ich oft Dinge erfahren, die ich keinem der Verwandten je weitererzählt hätte, nicht, weil es Beichtgeheimnisse waren, sondern niederschmetternde Mitteilungen. Warum glauben Sie denn, daß die Menschen, wenn sie sterben, nach einem Priester verlangen? Wegen der ewigen Seligkeit? Nein, weil sie diese Erde verlassen müssen und nicht spurlos von ihr verschwinden wollen. Ist die Wahrheit so wichtig, daß man, nur weil sie die Wahrheit ist und weil man sie loswerden möchte, eine ganze Ehe und Familie rückwirkend vernichten muß? Es gibt nicht nur Beichtgeheimnisse, mein lieber Kumpert, und es ist nicht immer Lüge, die Wahrheit nicht zu sagen.

KUMPERT: Ihre Vergleiche und Anspielungen beweisen mir, was ich sowieso wußte: Sie sind von einer verfluchten, ja verfluchten Menschlichkeit. Ich meine, manch einer nimmt Geheimnisse mit ins Grab, die nicht nur eine Familie, die die Welt umwerfen könnten.

HERKENS: Er ist schweigend gestorben, weil er eben doch ein Mensch, was bedeutet: Christ, war.

KUMPERT *(kalt)*: Mag sein. Und doch bin ich sicher, daß es ein Akt der Gerechtigkeit wäre, denen, die ihn liebten und kannten, zu sagen, wie er gestorben ist. Haben Sie ihn nicht auch geliebt?

HERKENS: Wen?

KUMPERT: Es hat keinen Sinn, das Gespräch fortzuführen, wenn Sie nicht zugeben, daß Sie wissen, wer er war.

HERKENS: Gut. Dann erklären wir das Gespräch für beendet.

KUMPERT *(wendet sich zur Tür):* Und ich gehe zur Polizei und identifiziere ihn.

HERKENS: Gehen Sie nicht. Es ist zu spät. Sie schaden sich, ohne ihm zu nützen. Glauben Sie mir doch.

KUMPERT *(wendet sich wieder Herkens zu):* Dann schade ich mir, ohne ihm zu nützen. Ich denke auch an den Polizeibeamten, dem die Sache nach dem Motiv keine Ruhe läßt.

HERKENS: Warum keine Ruhe läßt?

KUMPERT: Weil er wissen möchte, warum er Selbstmord begangen hat, und wissen möchte, warum wir ihn verleugnen.

HERKENS: Ich habe Informationen, die mich zwingen, Ihnen zu sagen, daß Sie sich sinnlos exponieren und daß Sie auch dem Polizeibeamten nicht mehr helfen werden. *(leiser)* Sagen Sie mir noch eins, es interessiert mich sehr: Wissen Sie – hat der Beamte Ihnen erzählt, ob die Umstände wenigstens nicht unerfreulich waren?

KUMPERT: Welche Umstände? Ich verstehe das Wort unerfreuliche Umstände nicht recht.

HERKENS: Ach, ich meine irgendwelche Spuren.

KUMPERT: Ich denke, die Spurensicherung ist Sache der Kriminalpolizei, und die hat eindeutig Selbstmord festgestellt.

HERKENS *(ungeduldig):* Mein Gott, entweder seid ihr Jungen von einem fürchterlichen Puritanismus oder Sie stellen sich nur dumm an. *(etwas leiser)* Ich meine Spuren von Orgien. *(tritt näher auf Kumpert zu, spricht mit fast bittender Stimme)* Wer immer er war und was immer er außerdem war, er war ein Mensch. Und ich sage Ihnen etwas, das Sie meinetwegen getrost weitererzählen können, ich wünschte, er hätte das Mädchen bei sich gehabt.

KUMPERT: Welches Mädchen denn?

HERKENS: Ich frage mich, ob Ihre Widerborstigkeit Frechheit oder Treue ist.

KUMPERT: Diese Frage kann ich nicht entscheidend beantworten, Monsignore.

HERKENS *(resigniert, immer noch mit drohendem Unterton).* Nun gut, also keine Orgien? *(Kumpert schweigt lächelnd)* Und wenn ich Sie bitte, es mir zu sagen?

KUMPERT: Nein, von Orgien hat mir der Beamte nichts erzählt. Ein makelloses Hotelzimmer mittlerer Preislage. Auf dem Bett ein Toter in Priesterkleidung. Auf dem Nachttisch ein leeres Tablettenröhrchen. Offenbar keine Spuren von Lippenstift auf dem Kopfkissen, kein Sperma im Bettlaken, keine leeren Sektflaschen, keine zerbrochenen Gläser, kein Parfümgeruch ... nichts fürs Kino, Monsignore.

HERKENS: Ihre Generation hat wohl keine sexuellen Probleme?

KUMPERT *(zuckt gleichgültig die Achseln):* Ich weiß nur, daß alle Menschen sexuelle Probleme haben, nicht nur die Priester. Die Ehe löst die sexuellen Probleme nicht, auch nicht das Konkubinat und nicht die Homosexualität. Im übrigen verpflichten wir Weltpriester uns ja nicht nur zur Ehelosigkeit, sondern auch zur Keuschheit, und zur Keuschheit im äußeren Tun wie im inneren Denken und Wollen, wie es so schön heißt, sind alle Christen verpflichtet, auch die verheirateten. Und wir wissen ja, daß sie nicht danach leben. Barmherzig gegen die Sünder, unbarmherzig gegen die Sünde.

HERKENS: Das klingt ziemlich pfäffisch.

KUMPERT: Es stammt aber nicht von mir. Schade, daß Sie nicht zugeben dürfen zu wissen, wer er war. Ich kenne vier Menschen, die ihn geliebt haben – einer davon waren Sie.

HERKENS: Ja, es gibt dieses merkwürdige Mädchen. *(schüttelt den Kopf)* Sie wird Schwierigkeiten machen.

KUMPERT: Vorsicht, Sie beginnen, sich zu verraten.

HERKENS: Ja. Ich tu's bewußt. Ich habe ihn getauft, ihm seinen Namen gegeben.

KUMPERT: Und jetzt wollen Sie ihm diesen Namen wieder nehmen.

HERKENS: Es war nicht sein Name. Können Sie nicht verstehen, daß es möglicherweise besser wäre, ihn so spur- und namenlos wieder weggehen zu lassen, wie er gekommen ist? Ich fürchte nicht den Skandal. *(müde)* Skandale haben wir genug. Ich fürchte um die, die die Wahrheit nicht wissen, eine Wahrheit, die er ihnen nicht gesagt hat.

KUMPERT: Welche Wahrheit?

HERKENS: Daß er in der Wirklichkeit so wenig von dem fand, was er war.

KUMPERT: Das klingt, als wäre er als Idealist an der Sündhaftigkeit der Menschen verzweifelt.

HERKENS: Nein, nein, das meine ich nicht – obwohl Idealismus ein redliches Motiv für Verzweiflung ist. Ich will versuchen, ihm gerecht zu werden. Vielleicht bedeutet die Tatsache etwas, daß dieser undurchsichtige Schneider sein bester Freund war: ein Nihilist, ein Atheist, ein Abenteurer von der liebenswürdigen Sorte.

KUMPERT: Sie erinnern sich wohl nicht mehr, wie Schneider auf die Idee kam, ausgerechnet katholisch zu werden?

HERKENS: Ich erinnere mich nicht genau.

KUMPERT: Aber das ist eine sehr hübsche Anekdote, Monsignore. Die sollten Sie kennen. Mit dieser Konversion fing die Wirklichkeit dieser Gesellschaft, nicht ihre Sündhaftigkeit, ihre Wirklichkeit an, in ihn einzudringen. Und auch hier stand am Anfang Seine Exzellenz, der Herr Weihbischof Mohrscheidt.

HERKENS: Ich muß Sie doch bitten …

KUMPERT: Schneider hockte in diesem Dorf, wohnte im Gasthof, und da fand eines Tages eine Diskussion zwischen hohen Parteifunktionären und jungen Leuten aus der Umgebung statt. Schneider griff zufällig – mehr aus Spielerei – in die Diskussion ein und erwies sich als ein so vorzüglicher Dialektiker, daß man ihn gern anwerben wollte zur Schulung des Parteinachwuchses. Er aber wollte nicht nur diesen Job, er wollte Mitglied der Partei werden, und da sie sich nun einmal christlich nennt, legte man ihm nahe, in eine der beiden Kirchen einzutreten.

HERKENS: Ja, jetzt erinnere ich mich, man legte ihm nahe, sich doch zu überlegen, ob er nicht ...

KUMPERT: Er überlegte gar nicht lange. Er wählte die Konfession dann auf eine für ihn konsequente, für uns etwas überraschende Art. *(lacht)* Wirklich hübsch, Monsignore. Schneider ging an die Wirtshaustheke, bat um einen Würfel und würfelte. Vorher hatte er sich mit sich selbst geeinigt: Wenn ich eine ungerade Zahl werfe, werde ich evangelisch, wenn ich eine gerade Zahl werfe, werde ich katholisch. Er warf eine Vier.

HERKENS: Und wurde katholisch.

KUMPERT: Als er die Vier warf, war er's ja noch nicht, Monsignore. Er mußte ja noch konvertieren, und da er mit unserem Freund sehr gut befreundet war, wählte er ihn. Der wußte aber, wie Schneiders Konfessionswahl zustande gekommen war, kannte ihn außerdem aus zahlreichen Gesprächen und weigerte sich, ihn in die römisch-katholische Kirche aufzunehmen.

HERKENS: Ja, jetzt fällt's mir ein. Er machte Schwierigkeiten. *(eifrig)* Er war nicht nur taktisch, nicht nur kirchenrechtlich, er war auch theologisch im Irrtum. Man darf niemanden abweisen, der den Glauben begehrt. Dieser Schneider begehrte den Glauben, und die Gnade geht manchmal seltsame Wege.

KUMPERT: Auch, wenn einer, um die Mitgliedschaft einer christlichen Partei zu erwerben, seine Konfession per Würfel aussucht?

HERKENS: Warum sollte die Gnade sich nicht eines Würfels bedienen? Ich meine es ernst, Kumpert, ich rede hier nicht in meiner Eigenschaft als Pfaffe.

KUMPERT: Gut. Theoretisch und kirchenrechtlich, meinetwegen sogar gnadentheoretisch hatte unser Freund unrecht. Menschlich hatte er recht und bestand auf seinen menschlichen Einsichten.

HERKENS: Unser Freund bestand zu Unrecht auf seinen menschlichen Einsichten.

KUMPERT: Richtig. Zu Unrecht. Er hatte nicht einmal etwas dagegen, daß Schneider konvertiert, nur wollte er es nicht sein, der ihn taufte und aufnahm. Er blieb hartnäckig.

HERKENS: Ein gänzlich fehlangebrachter Subjektivismus.

KUMPERT: Ganz richtig. Aber irgendeiner dieser Parteifritzen, zufälligerweise ein Katholik, legte Schneider nahe, doch lieber evangelisch zu werden. Nun wurde Schneider hartnäckig, er bestand auf der Entscheidung, die der Würfel gefällt hatte.

HERKENS: Jetzt erinnere ich mich. Irgendein hoher Parteimensch beklagte sich bei Seiner Exzellenz über unseren Freund. Dieser Parteimensch argumentierte übrigens theologisch einwandfrei, lückenlos. Er sprach sogar vom Charisma unseres Freundes.

KUMPERT: Und Seine Exzellenz zwang dann unseren Freund, Schneiders Konversion vorzunehmen.

HERKENS *(lacht):* Nein. Er riet diesem Parteimenschen, Schneider anderswohin zu schicken. Zu den Dominikanern, glaube ich, Schneider blieb unerbittlich, und ich kann mir nicht helfen, lieber Kumpert, das Charisma unseres Freundes kann das Entscheidende gewesen sein.

KUMPERT: War's auch sein Charisma, das den Würfel veranlaßte, vier zu zeigen?

HERKENS: Spotten Sie nicht. Es gab da eine recht lästige, umfangreiche Korrespondenz, mit der auch leider Seine Exzellenz belästigt werden mußte. Zuletzt konnte unser Freund überzeugt werden.

KUMPERT: Überzeugt haben sie ihn nicht. Sie haben ihn gezwungen, durch theologische Argumente. Und die Partei war zufrieden.

HERKENS: Sie stellen das ein wenig tendenziös dar.

KUMPERT: Der Druck dieser Parteifritzen auf Seine Eminenz – natürlich auf Um- und Abwegen – war erheblicher, als Sie jetzt zugeben wollen. Außerdem war auch gegen Schneiders theologische Argumente nichts einzuwenden. Er erwies sich als geradezu theologisch begabt. Warum sollte man ihm da nicht das Wässerchen über den Kopf gießen und ihn unserem lieben Mütterchen Kirche einverleiben.

HERKENS: Das drücken Sie wohl doch etwas zu salopp und zynisch aus.

KUMPERT: Und immer stand am Anfang Seine Exzellenz, der Herr Weihbischof Mohrscheidt: vor vierzehn Tagen, als er unserem Freund ziemlich unverblümt riet, in eine Absteige zu gehen – und vor fünf Monaten, als er ihn zwang, Schneider aufzunehmen. Schneider wählte unseren gemeinsamen Freund dann auch als Beichtvater, und ich nehme an, daß dadurch das, was Sie die Wirklichkeit unserer Gesellschaft nennen, tief in ihn eindrang. Schneider hatte Takt genug, sich der übrigen Sakramente nicht zu bedienen. Er ist auf eine merkwürdige Weise eben doch ein Gentleman.

HERKENS: Ein atheistischer, kommunistischer, proletarischer Gentleman.

KUMPERT: Ja. Vielleicht eine Gattung Mensch, die gerade im Entstehen ist. Die Beichte jedenfalls hatte es Schneider angetan – oder nennen wir es vertrauliche Erzählungen und Berichte. Schneider machte sehr schnell Karriere und hatte sehr viel zu erzählen. Gott und die Welt lernte er kennen, was bedeutet: die Welt.

HERKENS: Sie glauben, daß er unseren Freund systematisch und planmäßig zerstören wollte?

KUMPERT: Nein. Er liebte ihn ja. Ich denke sogar, daß unser Freund der einzige Mensch war, den er wirklich geliebt hat.

HERKENS: Jedenfalls scheint er den Glauben unseres Freundes nicht beeinträchtigt zu haben.

KUMPERT: Im Gegenteil. Es hat ihn in seiner Treue bestärkt, und deswegen hat er sich umgebracht.

HERKENS *(sehr streng):* Ich muß Sie doch bitten, zu bedenken, daß der Selbstmord eines Priesters eine sehr ernste Sache ist und nicht zum Gegenstand intellektueller Spielereien werden sollte.

KUMPERT: Ich mache keine Scherze. Vielleicht sollten Sie eine Heiligsprechung in die Wege leiten. Ich wäre ein guter Zeuge. Anna und Schneider wahrscheinlich noch bessere. Ich schenke Ihnen einen guten Slogan von äußerster Werbewirksamkeit: Die Heiligen begehen Selbstmord.

HERKENS *(müde):* Warum begehen sie Selbstmord? Weil die Welt so schlecht ist?

KUMPERT: Nein, weil so viel gesät und so wenig geerntet wird. So nichtig. Nichts. Und die Heiligen sind die, die ihre Treue nicht loswerden können. Verzweifelt glauben.

HERKENS: Also doch Verzweiflung.

KUMPERT: Wenn ich von jemandem sagen würde, daß er verzweifelt liebt, würde ich damit nicht meinen, daß er an der Liebe verzweifelt. Wenn die ganze Heiligsprecherei je einen Sinn gehabt hat, sollten Sie seine Kanonisation in die Wege leiten.

HERKENS: Und in seine Akten schreiben: beging Selbstmord, weil er treu war?

KUMPERT: Ja, das sollten Sie.

HERKENS: Ich verstehe ja, daß es ein Schock für Sie war. Glauben Sie, mir wäre leicht ums Herz?

KUMPERT: Dann dulden Sie nicht, daß seine ganze Existenz verfälscht wird, daß sie annulliert wird. Sie irren sich, wenn Sie sagen Schock. Es war kein Schock, es war die Erkenntnis, daß Treue tödlich ist ... und Gehorsam verderblich.

HERKENS: Und Sie, Sie wollen leben und nicht verdorben werden?

KUMPERT: Diese Frage liegt weit unterhalb Ihres Niveaus,

Monsignore. Immerhin sind Sie, wenn ich recht informiert bin, fast sechzig. Sie leben und sind verdorben.

HERKENS: Ich muß Sie zum zweiten Mal warnen, Kumpert.

KUMPERT: Es ist zu spät. *(leiser, weniger kalt, da Herkens ihn fragend ansieht)* Ja, es bedeutet, daß Sie nicht nur ihn verloren haben, auch mich. Als ich das Foto sah, war ich erst böse auf ihn. Stumm, tatenlos, sinnlos, einfach wegzugehen. Jetzt entdecke ich einen Sinn: Er konnte nicht handeln. Ich, ich kann es. Und Sie verlieren mich nicht, weil ich sexuelle Probleme habe oder Glaubensprobleme. Wenn ich das wollte: den Glauben verlieren und Weiber haben, dann wäre mir noch ein langes Leben als Pfaffe beschert. Man würde mich halten, würde alles vertuschen, weil ich ein so guter und beliebter Prediger bin, der sogar bei der Jugend ankommt. Die Freiheit, die Sie, die Seine Exzellenz mir bieten würden, das wäre die verlogenste Form der Freiheit.

HERKENS: Sie suchen also die Wahrheit?

KUMPERT: Auch diese Frage ist weit unterhalb Ihres Niveaus. Sie wissen, daß auch Wahrheiten so verlogen sein können wie Freiheiten. Ich weiß, was ich nicht will: Privilegien haben und dann denen predigen, die keine haben.

HERKENS *(sehr müde)*: Sie suchen also Solidarität?

KUMPERT: Das klingt schon besser, obwohl es auch nur ein Wort ist. Ich will leben wie die anderen Menschen und mit ihnen. Ich will etwas tun.

HERKENS: Leben wollen Sie also wie die anderen und mit ihnen, und wissen doch, daß sie, wie wir, vertuschen und vertuschen lassen.

KUMPERT: Ja, wenn sie Geld haben, eine Kirche, eine Partei, eine Firma, einen Apparat hinter sich, die sie schützen und die sie fallenlassen. Ich will ohne Schutz sein, wie die meisten von ihnen. Und das, was ich war, möchte ich nicht mehr sein.

HERKENS: Also kein Mensch mehr. Ich schreibe das alles Ihrer Erregung zu. Sie werden jetzt in Ihre Pfarrei zurückkehren und dieses Gespräch eine Weile vergessen. Sie werden ein paar Nächte darüber schlafen. Sie werden beten, mein Freund, und ich werde kein Wort unseres Gesprächs zu den Akten nehmen. Ich werde es wirklich vergessen.

KUMPERT: Ich werde nicht in meine Pfarre zurückgehen; und darüber schlafen, was bedeutet: nicht schlafen können, das hab' ich schon. Sie irren sich immer noch, Monsignore. Es ist keine Erregung, und es ist nicht das, was Sie gern Emotion nennen würden. Es ist eine Erkenntnis, und die hat ihre Folgen.

HERKENS: Seine Treue hat Sie angesteckt.

KUMPERT: Das haben Sie gut gesagt.

HERKENS: Sie werden enttäuscht werden, Kumpert, und irgendwo enden, verbittert und böse.

KUMPERT: Genau das werde ich nicht sein: nicht enttäuscht.

HERKENS: Was Sie suchen, ist nur eine andere Form des Selbstmords. Erlauben Sie wenigstens, daß ich Sie segne?

KUMPERT: Nein, bitte nicht. *(während Kumpert nach links zur Tür geht, kommt von rechts aus der Tür Mohrscheidt, bleibt kopfschüttelnd stehen und ruft hinter Kumpert her)*

MOHRSCHEIDT: Warten Sie noch einen Augenblick.

KUMPERT *(dreht sich um, bleibt stehen):* Ah, Exzellenz, ich wußte, daß Sie alles mithören.

MOHRSCHEIDT: Wollen wir nicht wenigstens die Formen der Höflichkeit wahren?

KUMPERT: Ich habe meine Worte nicht als unhöflich empfunden.

MOHRSCHEIDT *(sehr höflich):* Haben Sie noch fünf Minuten Zeit?

KUMPERT *(zögert, dann achselzuckend):* Bitte.

MOHRSCHEIDT: Immerhin haben Sie mich, obwohl Sie wußten, daß ich zuhöre, des Mordes bezichtigt.

KUMPERT: Nein. Nicht des Mordes. Nur der Schuld an seinem Tod.

MOHRSCHEIDT *(nachdenklich, setzt sich auf einen der Stühle, fordert auch Herkens auf, sich zu setzen. Herkens setzt sich):* Ich werde nicht versuchen, das Problem zu psychologisieren. Bleiben wir bei der Erkenntnis, Ihrer Erkenntnis, nicht meiner, daß Treue tödlich ist. Können Sie sich vorstellen, daß auch ich einer Sache treu bleiben muß, und daß meine Treue in mir tötet, was ich an anderen bewundere: ihr Charisma, ihren fast metaphysischen Charme, ihre wunderbare Spontaneität. Ich setze bei Ihnen so viel Phantasie voraus.

KUMPERT: Ja. Nicht nur vorstellen. Ich habe bisher auf ähnliche Weise existiert wie Sie.

MOHRSCHEIDT: Ich will nicht versuchen, Sie zurückzuhalten, will auch nicht verhehlen, daß Sie ein großer, ein schwerer Verlust für uns wären.

KUMPERT: Sind.

MOHRSCHEIDT: Gut. Ein schwerer Verlust für uns sind. Ich halte Sie nicht einmal für verantwortungslos. Aber deshalb frage ich Sie, bedenken Sie auch, was aus den jungen Menschen wird, die Ihnen bisher gefolgt sind?

KUMPERT: Ich werde es ihnen erklären.

MOHRSCHEIDT: Auf eine Weise, die wir nicht akzeptieren können.

KUMPERT: Natürlich. Sie werden dementieren, ich werde dementieren. Der übliche Hickhack.

MOHRSCHEIDT: Es werden schlimme Gerüchte über Sie in Umlauf kommen, und Sie werden glauben, wir hätten sie in die Welt gesetzt, um Sie zu denunzieren. Aber ich sage Ihnen voraus: Sie werden sich selbst denunzieren. Die Gerüchte werden, wenn sie auftauchen, schon wahr sein. Es tut mir aufrichtig leid um Sie – Sie werden das nicht glauben.

KUMPERT: Ich glaub's Ihnen sogar. Haben Sie mir noch etwas zu sagen, Exzellenz?

MOHRSCHEIDT: Es hat mich getroffen, daß Sie sagten, Treue ist tödlich. Ich verstehe Sie. Wären Sie nicht in so verbitterter Stimmung, würde ich sagen, ich bin Ihr väterlicher Freund.

KUMPERT: Ich glaube Ihnen sogar das. Nur macht Ihr Verständnis Ihre Manipulationen noch unmenschlicher.

MOHRSCHEIDT: Richtig. Es wäre für Sie einfacher, ich würde mich hier als völlig verständnisloser Vertreter des Rechts, des Gesetzes, der Ordnung und des Gehorsams präsentieren. Das ganze Gerede für Unsinn erklären, sagen: Ein Priester, der Selbstmord begeht, ohne geistig umnachtet zu sein, ist im Zustand des Sakrilegs gestorben. Basta. Aber auch ich bin von dieser merkwürdigen Krankheit befallen, an der unser Freund gestorben ist: vom Glauben und von der Treue. Kumpert, Sie könnten doch um Rückversetzung in den Laienstand bitten, vier – fünf Wochen in Urlaub fahren, bis ich die Sache durchhabe.

KUMPERT: Wenn ich Ihren Vorschlag als Verhandlungsangebot betrachte, werden Sie dann von mir eine Bedingung akzeptieren?

MOHRSCHEIDT: Welche?

KUMPERT: Daß Sie ihn identifizieren und seine wahrscheinlichen Motive bekanntgeben.

MOHRSCHEIDT: Selbst wenn ich wollte, könnte ich dieses Angebot nicht annehmen – weil ich mein Versprechen doch nicht halten könnte.

(Kumpert sieht beide fragend an)

HERKENS: Ich wollte es Ihnen schon die ganze Zeit sagen, aber Sie sind immer wieder in die hohe Philosophie abgeschweift. *(seufzt, zögert)* Es sind Dinge eingetreten ...

MOHRSCHEIDT: Ja. Unabänderliche Fakten.

KUMPERT: Der Polizeibeamte, der bei mir war ...

HERKENS: Wir haben Grund, daran zu zweifeln, ob er noch im Amt ist. Ganz sicher wird er nicht mehr in dieser Sache tätig sein. Er hat sich sehr schwerer Verfehlungen schuldig gemacht.

KUMPERT: In dieser Sache?

MOHRSCHEIDT: In einer anderen, viel schwerer wiegenden Sache, die ich Ihnen nicht mitteilen kann.

KUMPERT: Von der Sie aber wissen.

MOHRSCHEIDT: Ich habe sie auf vertraulichem Wege erfahren.

KUMPERT: Der Fall ist also abgeschlossen?

HERKENS: Ja. Und es wird keiner mehr daran rühren. Unser – der Tote ist eingeäschert und schon beigesetzt.

KUMPERT *(erschrocken):* So rasch. Das klingt ja, als hätte er die Pest gehabt.

MOHRSCHEIDT: Das haben Sie gar nicht so dumm gesagt. Er litt tatsächlich an Aussatz. *(Kumpert blickt ihn immer noch erstaunt an)* Ich meine es nicht symbolisch. Man hat wirklich die ersten Symptome von Aussatz an ihm festgestellt.

KUMPERT *(fassungslos lachend):* Das ist ... das ist ... das ist ... ich danke Ihnen, meine Herren. *(geht rasch ab)*

MOHRSCHEIDT *(steht auf, geht um den Tisch herum, bleibt vor Herkens stehen):* Beruhige dich, Paul, es ist die beste und die menschlichste Lösung.

HERKENS: Selbst wenn ich mich beruhigen könnte, die drei werden reden und eure Legende zerstören.

MOHRSCHEIDT: Wenn der Dermatologe an einem Unbekannten in Priesterkleidung einen Aussatz feststellt, so ist das keine Legende. In seiner Eigenschaft als amtlicher Gutachter, als Professor von internationalem Ruf hat Blefferscheidt Aussatz festgestellt. Halte dagegen, was die drei erzählen können: daß ein Priester sich umbringt, weil er den Glauben nicht verlieren will. Dann sind sie es, die die Legende verbreiten. Außerdem gehört nicht viel dazu, sie alle unglaubwürdig zu machen. Der einzige Augenzeuge ist ein Polizeibeamter, dem Verfehlungen im Amt nachgewiesen sind. Dieser obskure Schneider wird gar keine Gelegenheit haben, sich aktenkundig zu äußern, weil ja die Leiche nicht mehr vorhanden ist.

HERKENS: Aber Fotos.

MOHRSCHEIDT: Nicht mehr von der Leiche.

HERKENS: Mein Gott, wie machst du das alles so schnell.

MOHRSCHEIDT: Blefferscheidt hat sich auf meinen Wunsch

hin den Toten noch einmal angesehen und Aussatz festgestellt. Festgestellt, Paul. Blefferscheidt. *(hebt die Arme)*

HERKENS: Eine wissenschaftliche Kapazität ersten Ranges.

MOHRSCHEIDT: Und ein frommer und treuer Sohn unserer Kirche. Wenn du willst, zeige ich dir eine Abschrift seines Gutachtens.

HERKENS: Danke. Nein.

MOHRSCHEIDT: Also, erstens dieser Schneider. Erledigt. Der hat sich ohnehin in eine gefährliche Undurchsichtigkeit hineinmanipuliert. Außerdem ist er bei seiner letzten Weibergeschichte dann doch ein bißchen zu weit gegangen. Er hat sich an Greta Buhr herangemacht. Mit Erfolg.

HERKENS: Was? Sie war doch wirklich eine anständige Frau. Das hätte ich nicht von ihr erwartet.

MOHRSCHEIDT: Du bist ja auch keine Frau und nicht mit Buhr verheiratet. Für anständig halte ich sie übrigens immer noch, das macht ja die Sache so schwierig. Dann käme diese kleine Lehrerin: Auch da brauchen wir nicht einmal den kleinen Finger zu rühren. Sie wird irgendwo in Kumperts Nähe enden, als mystische Spinnerin, alle werden glauben, sie sei übergeschnappt, weil ihr Kleiner sie verlassen hat. Kumpert ist der Schwierigste. Hältst du es für ausgeschlossen, daß er sich besinnt?

HERKENS: Du hast doch unser ganzes Gespräch mit angehört.

MOHRSCHEIDT: Ich halte es noch nicht für entschieden, wie er sich verhalten wird.

HERKENS: Es könnte sein, daß er nach einem halben Jahr oder später zur Einsicht kommt – ich meine, sich besinnt, aber dann wird er aus zwei Gründen von dieser Besinnung keinen Gebrauch machen: aus Trotz und Hochmut.

MOHRSCHEIDT: Nimm noch seinen Ehrgeiz hinzu, und die Chancen werden besser. Man muß ihn nur immer wieder wissen lassen, daß ihm alles verziehen und daß alles geregelt werden kann – *(lacht)* –, alles verziehen, auch das, was er noch gar nicht begangen hat: Die Heiligen begehen

Selbstmord, aber es ist besser, wenn diese Heiligen noch eine Weile unbekannt bleiben und wenn man Aussatz an ihnen entdeckt, bevor sie identifiziert sind.

HERKENS: Ich verstehe das nicht recht: Gerade jetzt, wo Aussatz an ihm festgestellt wurde, könntet ihr ihn doch identifizieren. Diese Krankheit wäre doch ein Motiv.

MOHRSCHEIDT: Er war nicht der Mann, der wegen Aussatz Selbstmord begeht. Er war eher der Typ, der sich Aussatz wünscht. Nun hat er ihn ja. Blefferscheidt hat Abstriche gemacht, lieber Paul, und Aussatz nachgewiesen. Er kann es beweisen. Aber wir können den Aussatz nicht zum Motiv machen. Wir können ihm auch das Mädchen nicht als Motiv anhängen.

HERKENS: Du machst dir keine Vorwürfe – ich meine, wegen der beiden Vorfälle?

MOHRSCHEIDT: Nein. Ein Mann – ein Mensch muß sich der Wirklichkeit stellen, auch meiner Wirklichkeit. Ich betrachte den Aussatz, dir kann ich's ja sagen, fast als ein Wunder. Er hilft uns aus großer Not. *(geht auf Herkens zu, legt ihm die Hand auf die Schulter)* Kumpert allerdings bringt uns in eine neue Situation. Ich fürchte, du bist dir nicht recht klar darüber, was wir in ihm verlieren.

HERKENS *(müde)*: Oh, ich weiß. Er ist all das, was wir so selten glaubwürdig darstellen können: Er ist modern – *(lacht böse)* – aufgeschlossen – *(lacht noch böser)* – und für dich wohl das Wichtigste: er kommt an.

MOHRSCHEIDT: Wir müssen ihn zurückhaben, Paul.

HERKENS: Bitte, hol ihn dir.

MOHRSCHEIDT: Auf mich hört er nicht. Mich hält er für einen klugen Pfaffen aus der höheren Hierarchie. Dir vertraut er.

HERKENS: Du hast doch mein Gespräch mit ihm gehört. Mich hält er für einen nicht ganz so klugen Pfaffen aus der mittleren Hierarchie. Und in beiden Fällen hat er recht.

MOHRSCHEIDT: Immerhin hat er dir Bekenntnisse abgelegt. Knöpf ihn dir noch einmal vor, Paul.

HERKENS: Wenn er sich herabläßt, meine Einladung anzunehmen, gern. Aber ich fürchte, ihr seid zu weit gegangen. Diese Aussatzgeschichte ...

MOHRSCHEIDT: Es ist keine Aussatzgeschichte. Es ist wahr, Paul, glaub es doch endlich.

HERKENS: Selbst wenn es wahr ist, hättet ihr keinen Gebrauch davon machen sollen. Jeder wird es für Manipulation halten. Es gibt Dinge, die zu wahr sind, als daß man Gebrauch von ihnen machen kann.

MOHRSCHEIDT: Ich habe dich unterschätzt. Das ist richtig – und vielleicht sind wir etwas zu rasch gewesen. *(müde)* Ja, ich habe den Kopf verloren, aber ich kann jetzt nicht mehr zurück. Dein Kleiner – sicher, er war lieb und klug, ein guter Priester, ein guter Mensch, den die Leute mochten und dem sie glaubten, weil sie ihn mochten – aber viel hergemacht hat er nicht. Kumpert muß ich zurückhaben. Du mußt alles tun, damit wir ihn nicht verlieren.

HERKENS *(sehr müde):* Ich bin alt, ich trinke gern Wein und lese lieber Romane als Theologie, so modern, wie es sie gibt. Ich liebe die Musik, und immer noch, immer noch ist der Anblick einer schönen Frau eine Freude für mich – kaum noch eine Versuchung. Ich lebe gern, bin mehr Mensch als Priester, was bedeutet, mehr Pfaffe als Priester, und was bliebe mir, wenn ich nach seinem Selbstmord das tun würde, was ich tun müßte: weggehen, einfach weggehen. *(steht auf, geht im Zimmer umher, um den Tisch herum)* Ein Chlochard? Ich habe nicht die Kraft, meine Verwöhnungen preiszugeben, keinen Mut, die Bestechungen zurückzuzahlen. Ein unrasierter, rheumatischer alter Landstreicher, der es mühsam lernen müßte, zu betteln und unbequem zu schlafen. *(böse)* Ihr behaltet mich also, Paul, aber du sollst wissen, wen ihr behaltet. Ich habe nicht den Mut, euch den Krempel hinzuschmeißen und laut Scheiße zu schreien. Er war unschuldig – und ihr habt ihn von seinem Seil da oben heruntergerufen, ihn erschreckt, was sollte er anders tun als Tabletten schlucken.

Weggeschafft habt ihr ihn wie ein Aas – verbrannt, beigesetzt, irgendwo, niemand weiß wo. *(noch böser)* Und ihr habt sogar einen nachweisbaren Grund. *(nüchtern)* Und wie wirst du nun den Fall aktentechnisch lösen?

MOHRSCHEIDT *(gütig):* Es ist gut, daß du dich einmal ausgekotzt hast.

HERKENS *(böse):* Nein, es ist nicht gut. Beantworte meine Frage.

MOHRSCHEIDT *(erstaunt):* Du willst mir doch nicht drohen?

HERKENS: Ich weiß genau, daß auch mir keiner glauben würde. Bitte, beantworte meine Frage: wie wird der Fall aktentechnisch gelöst?

MOHRSCHEIDT: Er wird für verschollen erklärt. Manch einer verschwindet spurlos.

HERKENS: Und was werdet ihr seiner Gemeinde sagen? Immerhin hatte er ja auch die.

MOHRSCHEIDT: Das ist schon eingeleitet, und dabei kann dieser Schneider gute Dienste tun. Ohne ihm ungerecht zu werden, werden wir es so darstellen, als sei plötzlich ein mystischer Auftrag über ihn gekommen und er wäre nach Osten gewandert, um dort unbekannt und unerkannt Gott zu dienen. Erscheint dir diese Legende seiner unwürdig?

HERKENS *(böse):* Sie ist fast so großartig wie der Aussatz. So seid ihr ihn los, und er dient euch auch noch als mystischer Wanderer.

MOHRSCHEIDT: Und eines Tages wird die Nachricht von ihm kommen, ich meine Nachricht über ihn. Irgendwer wird zwischen Weichsel und Ural seine Spuren finden, Spuren seiner Tätigkeit, Spuren seiner Verehrung, die er genoß, vielleicht sein Grab.

HERKENS: Ein neuer Bonifatius.

MOHRSCHEIDT: Der Osten ist ein guter mystischer Nährboden. Ich muß jetzt gehen, der Chef erwartet mich.

HERKENS: Weiß er das alles?

MOHRSCHEIDT: Nichts weiß er. Nur die Legende wird er wissen, und er wird wissen, daß ein Unbekannter in Priesterkleidung, der an Aussatz litt, eingeäschert wurde. Paul, der Chef muß unschuldig bleiben, wir müssen die Schuld für ihn übernehmen. Soll ich ihn grüßen?

HERKENS *(sehr müde):* Ja, grüß ihn und Dank für den Wein, den er mir geschickt hat.

VI

(Während Herkens und Mohrscheidt abgehen, knipst Herkens die Dekoration aus. Die Bühne bleibt einen Augenblick dunkel, wird hell, Mauen kommt herein, knipst die nächste Dekoration an: ein großer, weißgetünchter Krankenhausraum mit kleineren Fenstern, an den Wänden ein Kruzifix mit Buchsbaumzweig, ein Bild des Papstes und des Bundespräsidenten. Mauen stellt sich in die äußerste rechte Ecke des Zimmers, blickt auf Tobser, der von links hereinkommt.)

MAUEN *(zieht an seiner Zigarre, wirkt in seiner menschlichen Verlegenheit »echt«):* Was ich mit Ihnen zu besprechen habe, ist mir so peinlich, daß ich kaum weiß, wo ich anfangen soll.

TOBSER: Sie meinen, daß ich meine Nachforschungen im Fall Christ nun einstellen muß?

MAUEN: Der Fall Christ?

TOBSER: Dieser Unbekannte in Priesterkleidung, bei dem Herr Professor Blefferscheidt dann Aussatz festgestellt hat. Ich habe seine Identität, seine ganze Lebensgeschichte geklärt.

MAUEN *(zerstreut):* Natürlich. Gut. Aber der Fall ist ja für uns erledigt, das Weitere liegt in den Händen der Gesundheitsbehörde, die wir natürlich bei ihren Sicherungsmaßnahmen unterstützen. Übrigens würde ich an Ihrer Stelle in diesem Fall keinen Namen nennen. *(beiläufig)* Die Kirchenbehörde ist nach sorgfältiger Prüfung aller, auch der intimen, Ihnen nicht zugänglichen Fakten, zu der Überzeugung gekommen, daß der Tote und der verschwundene Priester nicht ein und dieselbe Person sind. Wir müssen dieses Ergebnis respektieren. Nein – *(verlegen)* –, es ist etwas anderes, über das ich mit Ihnen reden muß. Ich weiß wirklich nicht, wie ...

TOBSER: Sie meinen die Frau, Herr Präsident, zu der ich manchmal gehe.

MAUEN *(verlegen):* Ich bin Ihnen sehr dankbar, daß Sie selbst dieses peinliche Thema ansprechen, und ich verspreche Ihnen, daß Ihre Frau nichts ...

TOBSER: Meine Frau weiß alles ...

MAUEN: Und – was sagt sie dazu?

TOBSER: Es gibt wenige Frauen, denen das gleichgültig ist.

MAUEN: Nur Dirnen?

TOBSER: Auch denen nicht mehr. Auch die haben bestimmte Männer, die sie nicht gern teilen, auf die sie eifersüchtig sind. Sind Sie denn nie im Laufe der Karriere bei der Sitte gewesen, Herr Präsident?

MAUEN: Doch. Und daher weiß ich auch, daß die Männer, in die sich Dirnen nicht gern mit anderen Frauen teilen, meistens Zuhälter sind.

TOBSER: Ach. *(schluckt)* Das ist eine Variante, auf die ich nicht gefaßt war.

MAUEN: Die aber eine gewisse Wahrscheinlichkeit hat. Jedenfalls wird es von Ihnen in einer Anzeige behauptet, die ich heute über Sie bekommen habe.

TOBSER: Von wem die Anzeige stammt, darf ich sicher nicht erfahren.

MAUEN: Eins kann ich Ihnen sagen: Aus unserem Hause stammt sie nicht.

TOBSER: Das macht die Variante etwas netter.

MAUEN *(freundlich):* Ich halte Sie nicht für einen Zuhälter, Tobser, damit das klar ist. Aber ich muß dieser Anzeige nachgehen. Sie stammt von einer Persönlichkeit – *(hüstelt)* – aus einem Bereich, ich kann sie nicht unbeachtet lassen, und deshalb spreche ich persönlich mit Ihnen, lasse das nicht durch einen Ihrer Kollegen klären. Wäre es eine anonyme Denunziation, würde ich sie in den Papierkorb werfen. Leider ist sie nicht anonym. *(hüstelt. Pause)* Sie haben sich da auf eine ziemlich peinliche Weise verstrickt.

TOBSER: Das kann ich nicht ganz einsehen, Herr Präsident, immerhin gibt es Hurerei in dieser Stadt, in ganz erheblichem Umfang sogar, und warum sollte ich als Polizeibeamter nicht wie jeder andere Mann ...

MAUEN: Außer Dienst, ja. Obwohl das peinlich genug wäre und schon Gegenstand einer Anzeige sein könnte.

TOBSER: Ach, ich habe mich also im Dienst verfehlt?

MAUEN: Das scheint leider sogar nachweisbar zu sein.

TOBSER: Ich mußte zu ihr, weil ihr Liebhaber – ein sehr angesehener Bürger dieser Stadt – auf die peinliche Idee gekommen war, sich in ihrem Badezimmer aufzuhängen.

MAUEN: Ich weiß. Ich habe mir die Akten kommen lassen. Eine sehr dumme Geschichte, und Sie sind damals der Presse gegenüber sehr diskret gewesen. Fabelhaft diskret. Sie haben damals ein gutes Werk getan. Es waren Kinder im Spiel, die bis heute nicht wissen, wo ihr Vater wirklich gestorben ist.

TOBSER: Ich mußte ein paarmal hin, und – und während der Untersuchung habe ich mich in sie verliebt.

MAUEN: Bösartig ausgedrückt – und Sie wissen, wie bösartig manche Leute sich ausdrücken – nennt man das »Nötigung im Amt«, und wenn das dann weitergeht, tritt der Verdacht der Zuhälterei auf. Geben Sie ihr Geld?

TOBSER: Geld?

MAUEN: Haben Sie's ihr angeboten?

TOBSER: Ich habe ihr eine neue Wohnung besorgt.

MAUEN: Aha, Geld nimmt sie nicht.

TOBSER: Ich halte es für besser, Herr Präsident, wenn Sie mich nur Dinge fragen, die Sie in Ihrer Eigenschaft als Vorgesetzter fragen können.

MAUEN: Ich wollte von Mann zu Mann mit Ihnen darüber sprechen.

TOBSER: Mir wär's lieber, wenn wir von Vorgesetztem zu Untergebenem darüber reden würden.

MAUEN: Wie Sie wollen. Mein Gott, Tobser, verstehen Sie doch, ich kann einfach diese Anzeige nicht unterdrücken. Es sind da Interessengruppen im Spiel, die sich weltanschaulich zwar hin und wieder bekämpfen, die aber notfalls miteinander taktieren ... die – die Leute, von denen die Anzeige kommt, werden vor nichts zurückschrecken, um den Ruf der Polizei, die moralische Qualifikation unserer Beamten in der Öffentlichkeit herabzusetzen! Ich muß die Sache klären.

TOBSER: Gut, dann leiten Sie ein Disziplinarverfahren gegen mich ein.

MAUEN *(seufzt)*: Es ist nett, daß Sie das selbst vorschlagen. Ich muß das Verfahren einleiten, und natürlich müssen Sie während der Zeit alle Fälle, an denen Sie arbeiten, liegenlassen.

TOBSER: Der Hinweis erübrigt sich doch, Herr Präsident – ich werde ja wohl eine Weile hier in Quarantäne hocken – und das Mädchen, das mit ihm befreundet war, auch?

MAUEN: Nein. Aber leider Ihre Freundin und Ihre Frau.

TOBSER: Aha, meine Frau und meine Freundin kommen in Quarantäne, aber das Mädchen nicht?

MAUEN: Die hat doch nur den verschwundenen Priester gekannt. Mit dem unbekannten Toten hat sie nicht das geringste zu tun. Sie hat es ja nicht mal für nötig gehalten, die Leiche anzusehen, oder?

TOBSER: Weil sie weggeschafft war, bevor sie es tun konnte.

MAUEN: Jedenfalls ist sie nicht mit ihm in Berührung gekommen. Und wenn der Tote und der Priester nicht ein und dieselbe Person waren, kann sie sich nicht infiziert haben.

TOBSER: Und wenn sie dieselbe Person waren, läuft dieses Mädchen herum und verbreitet munter den Aussatz. Und wer mit mir in Berührung kommt, muß in Quarantäne.

MAUEN: Leider.

TOBSER: Auch Sie, Herr Präsident.

MAUEN: Fangen Sie doch nicht wieder mit Ihren Spitzfindigkeiten an. Lassen Sie den Fall. Sie werden in der Quarantäne viel Zeit haben, und ich muß Sie bitten, in dieser Zeit nicht zu versuchen ...

TOBSER: Den Fall wiederaufzunehmen.

MAUEN: Genau das meine ich. *(leise)* Es ist nicht gut, den Gegner allzusehr zu reizen. Es könnte noch eine Anzeige wegen Kuppelei hinzukommen.

TOBSER: Gegner? Habe ich Gegner?

MAUEN *(macht eine beiläufige Bewegung):* Offenbar gibt es Leute, die Ihnen übelwollen. Ganz offenbar. *(leise)* Es ist mein persönlicher Rat, Tobser, lassen Sie die Finger davon. Sie sind ein vorzüglicher Beamter, diskret, energisch, nüchtern, und ich möchte Sie nicht verlieren. Die Quarantäne wird vorübergehen. Sie werden Gesellschaft haben, wir werden uns um Sie kümmern, und da Sie bei Ihren Kollegen so beliebt sind, wird es Ihnen an nichts fehlen.

TOBSER *(zieht ein Blatt Papier aus der Tasche):* Ich habe bei der Verwaltung des Krematoriums angefragt, wer die Einäscherungskosten bezahlt hat. Die Differenz zwischen den normalen Beerdigungskosten, die von der Wohlfahrt übernommen werden, und den Einäscherungskosten beträgt ...

MAUEN *(zum ersten Mal böse, kehrt den Vorgesetzten heraus):* Ich habe Ihnen gesagt, Sie sollen die Finger von dieser Sache lassen. Der Fall ist geklärt, abgeschlossen, und wer da zugezahlt hat ...

TOBSER *(unterbricht ihn):* Wer zugezahlt hat, ist aus den Buchhaltungsunterlagen des Krematoriums ersichtlich. Es war die Kirchenbehörde. Nicht das Polizeipräsidium, nicht die Wohlfahrt.

MAUEN: Ich warne Sie, Tobser. Ich meine es gut mit Ihnen. Ich werde veranlassen, ich werde dafür sorgen, ich werde ... es wird Ihnen an nichts fehlen. Ja, ich werde sogar ...

VII

(Tobser tritt zum Schalter, knipst die Dekoration aus, während Mauen weitermurmelt, dann verstummt, bis Blefferscheidt eintritt, der die Dekoration wieder anknipst. Der Raum hat die Größe, die Fenster etc. wie in VI, nur ist die Dekoration etwas komfortabler, die Bebilderung anders; das Bild des Bundespräsidenten bleibt, statt des Papst-Bildes ein Bild des heiligen Vincent von Paul; Blefferscheidt sitzt da, wo vorhin Mauen saß, Mauen sitzt auf Tobsers Stuhl.)

BLEFFERSCHEIDT: Es war nicht möglich, die Notwendigkeit einer Quarantäne geheimzuhalten. Die Erfassung der Verdachtsfälle hat es unumgänglich gemacht, daß gewisse Informationen an Unbefugte gelangen. Natürlich sind wir bemüht, eine Beunruhigung der Öffentlichkeit zu vermeiden. Und würden vor allem den Kontaktträgern gerne ersparen, daß ihre Einbeziehung in die Untersuchung bekannt wird. Aber der Kreis der potentiell Infizierten erweitert sich ständig, und leider ist damit auch die Ansteckungsursache fraglich geworden. Verständlicherweise konzentriert sich gerade darauf das Interesse der Publikationsmedien. – Es wird deshalb nichts anderes übrigbleiben, als die Auswertung der Untersuchungsergebnisse abzuwarten und bis dahin jeden Hinweis auf mögliche Ansteckungsquellen zu unterlassen.

MAUEN: Die Kirchenbehörde wird dort …

BLEFFERSCHEIDT: Die Kirchenbehörde hat mit diesem Fall nichts, aber auch gar nichts zu tun, Herr Präsident, nicht das geringste. Der Fall muß zwischen der Gesundheitsbehörde und Ihrem Amt abgestimmt werden. Leider muß ich die Quarantäne noch auf ein – zwei Personen ausdehnen, die ich gerne verschont hätte. Dieser nette Kaplan zum Beispiel, der so viel von sich reden macht. Wir mußten leider auch ihn in die Isolierung einbeziehen. Es wird die Kirchenbehörde ziemlich treffen, aber …

MAUEN: Wenn Sie die Verantwortung übernehmen wollen.

BLEFFERSCHEIDT: Ich habe noch nie Verantwortung gescheut. Ich übernehme sie. Da keine polizeilichen Maßnahmen mehr erforderlich sind, liegt jetzt alles in den Händen der Gesundheitsbehörde, und als Chef der Infektionsabteilung berate ich die Gesundheitsbehörde. Die Polizei ist jeder Verantwortung enthoben. Natürlich erwartet man von Ihnen das Selbstverständliche: Diskretion.

MAUEN: Und die Ansteckungsquelle ist ...

BLEFFERSCHEIDT: fraglich geworden. Ja. Zumindest lassen die vorläufigen Analysen auch andere Schlüsse zu. Frau Buhr ist zum Beispiel erst vor einigen Tagen von einer Indienreise zurückgekehrt. Sie hat sich weder an die Ratschläge der deutschen Botschaft noch an die der indischen Behörde gehalten. In ihrem impulsiven Informationsdrang hat sie sich auf leichtfertige Weise durch Bombay bewegt, und mit an Sicherheit grenzender Wahrscheinlichkeit ist sie bei ihren Spaziergängen mit Aussätzigen in Berührung geraten.

MAUEN *(verwirrt)*: Und sie hat den Toten infiziert?

BLEFFERSCHEIDT *(höflich)*: In einem solchen Fall, Herr Präsident, ergibt sich die Ansteckungsreihenfolge nicht nach kriminalistisch-positivistischer Logik. Sie ergibt sich nach genauester wissenschaftlicher Analyse der vorliegenden Verdachtsfälle. Noch sind nicht alle Kontakte überprüft. Ein großer Personenkreis muß noch getestet werden. Bisher konnten wir uns nur auf die primären Kontaktpersonen beschränken. Ich muß Sie deshalb bitten, von sich aus keinerlei Informationen zu verbreiten. Verweisen Sie auf mich.

MAUEN: Ist ein nachgewiesener Erreger nicht positives Beweismaterial?

BLEFFERSCHEIDT: Positives Beweismaterial: Ja, aber nicht verwendbar in einer positivistischen Beweiskette, was die Ansteckungsreihenfolge betrifft. Mein Assistent ist im Augenblick damit beschäftigt, die Synchronisation aller stattgefundenen Begegnungen vorzunehmen, daraus können sich noch Konsequenzen ergeben, die temporären und hygienischen Gesichtspunkte sind noch nicht kongruent. Der Fall liegt komplizierter, als ich dachte, und die Notwendigkeit der Quarantäne bekommt nun eine ganz andere Dimension. Leider auch gesellschaftlich. Der unbekannte Tote ist damit fast bedeutungslos geworden.

MAUEN: Der Fall ist für uns ja auch abgeschlossen.

BLEFFERSCHEIDT: Natürlich. Ich darf bei Ihnen also das Selbstverständliche voraussetzen?

MAUEN: Selbstverständlich.

BLEFFERSCHEIDT: Danke.

VIII

(Mauen bleibt stehen, knipst die Dekoration VII aus, es wird für eine Weile dunkel, bis Buhr, der an derselben Stelle steht, die Dekoration VIII anknipst. Der Raum hat die Proportionen wie VI und VII. An den Wänden hängen gutgerahmte, geschmackvolle Drucke. An verschiedenen Stellen des Zimmers stehen Blumen. Es liegen Pakete und Schachteln herum. In einer Ecke ein Fernsehapparat, in einer anderen ein kleines Billard, an dem Kumpert steht und spielt. Buhr geht, nachdem er die Dekoration angeknipst hat, an einen zweiten Tisch, der weiter rechts steht, setzt sich und liest Zeitung. An einem anderen Tisch, mehr im Vordergrund, sitzen Tobser und Schneider und spielen Domino. Der Raum erweckt den Eindruck eines behaglichen Clubraums.)

TOBSER *(zu Schneider, der einen Dominostein legt):* Sie haben wohl das Reden verlernt? *(Schneider nickt)* Auch das Denken? *(legt einen Stein – Schneider schüttelt den Kopf)* Und Sie glauben es immer noch nicht? *(Schneider schüttelt den Kopf; es bleibt eine Weile ruhig, die beiden spielen, Buhr liest Zeitung, hin und wieder hört man das Geräusch des Billard, an dem Kumpert steht)* Sie denken an die

Frauen? *(Schneider nickt)* Ob's da auch so friedlich zugeht? *(Schneider zuckt die Schultern. Buhr steht vom Tisch auf, geht zu Kumpert, schaut ihm eine Weile zu, geht dann zu Schneider und Tobser, schaut auch denen zu, die ruhig Domino spielen)*

BUHR: Noch nie hab' ich so viel Ruhe gehabt. In keinem Sanatorium, in keinem Hotel. Kein Telefon, keine Konferenzen, keine Entscheidungen. Sagen Sie, kann man dieses Spiel auch zu dreien spielen?

SCHNEIDER *(blickt ihn überrascht an):* Domino? Natürlich – zu vieren, fünfen, sechsen, wenn Sie wollen. Haben Sie nie Domino gespielt?

BUHR: Nein. Noch nie.

TOBSER: Würden Sie gern die nächste Partie mitspielen? *(Buhr nickt, setzt sich. Tobser und Schneider spielen ruhig weiter. Kumpert kommt vom Spielautomaten herüber, bleibt stehen und schaut zu. Es bleibt wieder eine Weile ruhig. Man hört nur das Auflegen der Steine)*

TOBSER *(zu Buhr):* Sind Sie wirklich in Indien gewesen?

BUHR: Ganz kurz. *(seufzt)* Ich mußte irgendwas einweihen. Ich hab' nicht viel von Indien gesehen.

TOBSER: Sie glauben, Ihre Frau habe sich wirklich in Indien infiziert, wie Blefferscheidt festgestellt hat?

BUHR: Nein. Wir waren keine Minute voneinander getrennt. Ich hatte ein paar Tage in Rom und Karatschi zu tun. Wir sind in Bombay gelandet, ich habe die Fabrik eingeweiht, wir sind ins Hotel zurück und am anderen Morgen wieder abgeflogen.

KUMPERT *(ruhig):* Sie haben nie etwas von einem Unbekannten in Priesterkleidung gehört, der ursprünglich als Ansteckungsquelle galt?

BUHR *(blickt ihn erstaunt an):* Nein. *(schüttelt den Kopf)* Auch in den Zeitungen steht nichts davon. *(verlegen)* Das Hauptinteresse gilt meiner – Greta und mir. *(holt die Zeitung)*

KUMPERT: »Im Zusammenhang mit dem tragischen Schicksal

des Ehepaars Buhr mußten noch einige andere Personen in Quarantäne genommen werden.« Eine rührende Geschichte: Frau eines Großindustriellen küßt Aussätzige auf den Straßen Bombays.

BUHR: Unsinn. Davon kann gar nicht die Rede sein.

KUMPERT *(ruhig):* Bald wird davon die Rede sein, und wieder einmal werden die Zeitungen Gelegenheit haben, sich über die Grenzen zwischen Emotion und Verantwortung auszulassen. Großartig, nur wie wir uns möglicherweise infiziert haben sollen, das ist uninteressant.

BUHR: Ich denke, Herr Schneider ist es, der die Erreger eingeschleppt hat. Und Sie gehören doch alle zu seinem engeren Freundeskreis. Auch Herr Schneider ist ein vielgereister Mann und möglicherweise in Gegenden gewesen ...

KUMPERT: Immer besser. Jetzt ist sogar schon Schneider die Ansteckungsquelle.

BUHR: Nun, an der Freundschaft meiner Frau mit Herrn Schneider besteht doch wohl kein Zweifel. Auch daran nimmt inzwischen die Öffentlichkeit teil; es ließ sich nicht vermeiden.

KUMPERT: Frau eines vielbeschäftigten Mannes bringt durch verzeihlichen Fehltritt Freunde ihres Freundes in Quarantäne.

BUHR *(lächelt):* Ja, ungefähr so.

KUMPERT *(erregt zu Tobser und Schneider):* Ich verstehe Sie nicht, das Ganze ist so durchsichtig, es ist fast schon beleidigend, wie durchsichtig es ist. Und Sie ... *(schüttelt den Kopf)*

TOBSER *(schiebt die Dominosteine zusammen und mischt sie):* Sie vergessen, wie unwichtig wir geworden sind. Interessant sind wir jetzt nur noch als Objekte der Nächstenliebe. *(zu Buhr)* Sie sind dran. *(Buhr nickt. Tobser verteilt die Dominosteine und erklärt halblaut die Spielregeln. Tobser, Schneider und Buhr beginnen, Domino zu spielen)*

KUMPERT *(erregt):* Das Schlimme ist, ihr nehmt den Aussatz hin.

TOBSER: Kannst du beweisen, daß er keinen gehabt hat? *(spielt weiter Domino)*

KUMPERT: Beweisen kann ich nichts. Plötzlich entdeckt man, daß eine Frau in Bombay spazierengegangen ist – und daß sie die Krankheit eingeschleppt hat. Von ihm ist keine Rede mehr – nicht einmal ein Grab ist da, nichts. Nichts. Wenn ich wenigstens telefonieren könnte.

SCHNEIDER: Telefon ist uns versprochen.

KUMPERT: Und wir werden's bekommen. Alles werden wir bekommen. Ich will hier raus, ich muß raus, und Sie müssen mir helfen. Ich kenne das Krankenhausgelände gut. Ich hab' Freunde in der Stadt, die mich verstecken, auch, wenn sie glauben, ich hätte Aussatz. *(heftiger, da die beiden schweigen)* Habt ihr Angst, daß man euch einsperrt?

TOBSER: Eingesperrt sind wir genug. Und ins Kittchen können sie uns nicht stecken – wegen der Ansteckungsgefahr.

SCHNEIDER: Woher könnte Blefferscheidt die Erreger gehabt haben?

KUMPERT: Haben Sie sie gesehen? Wer hat sie gesehen? Er ist der einzige – *(zeigt auf Tobser)* –, der ihn tot gesehen hat. Wer zweifelt schon an einer Diagnose von Blefferscheidt, und wer ist einflußreich genug, sie in Zweifel zu ziehen und sich Beweise zeigen zu lassen?

SCHNEIDER: Nehmen wir an, du kommst tatsächlich raus. Es wird bekannt werden, die ganze Stadt wird in Aufruhr geraten vor Angst.

(Buhr blickt vom Tisch auf und hört interessiert zu)

KUMPERT: Soll sie. Ja, das soll sie.

Merken Sie denn nicht, wie das Ganze verschoben wird? Auf Greta. Auf Sie. Wer weiß, auf wen noch. Warum ist Anna nicht hier? Sie hat ihm doch am nächsten gestanden.

BUHR: Wer ist denn Anna?

KUMPERT: Wenn ich rauskomme, werde ich das ganze Dorf mobilisieren und ihnen erzählen, was sie mit ihm angestellt haben.

SCHNEIDER: Ihre Idee ist gut; sie bei ihrer eigenen Logik

packen: Den Aussatz verbreiten. Die Isolierstation wird zu klein. Das ganze Dorf muß in Quarantäne, alle, mit denen Sie in Berührung gekommen sind, und ich, Sie und Sie.

KUMPERT: Die meisten meiner Freunde sind sowieso in Quarantäne, in Loyalitätsquarantäne ... sie kommen nie über diese Grenze hinaus, und es macht ihnen ihre Situation nur bewußt, wenn sie wirklich reinkommen. Ich werde Herkens besuchen, Mohrscheidt, stellt euch vor, es gelänge mir, bis zum Kardinal vorzudringen und ihn anzuspucken – wir hätten sie alle hier.

TOBSER *(seufzt):* Das klingt gut.

BUHR: Müssen Sie unbedingt Kardinäle anspucken? Mir gefällt es hier. Ich möchte nicht einmal Telefon.

KUMPERT *(lacht laut):* Es gefällt Herrn Buhr hier. Mir nicht. Ich will hier raus, ich will seinen, meinen Aussatz verbreiten –

SCHNEIDER *(steht auf, spricht energischer als bisher):* Ja, du mußt raus.

KUMPERT *(blickt auf die Uhr):* Jetzt kommt das Fressen. Und Blumen. Zigarren und Spiele. Bald werden sie die Frauen zu uns lassen. Legitim oder nicht. Nur raus dürfen wir nicht, nur nicht raus.

TOBSER: Die Akte Christ wird verschwinden. Die Akte »Unbekannter in Priesterkleidung« wird verschwinden – das Disziplinarverfahren gegen mich wird eingestellt ... *(die Tür wird von außen geöffnet; Blefferscheidt und Mohrscheidt treten mit Gesichtsmasken ein)*

BLEFFERSCHEIDT *(bleibt vor Kumpert stehen):* Ich habe Besuch für Sie mitgebracht, Herr Kaplan.

MOHRSCHEIDT *(vor Kumpert):* Ich habe mich großer Gefahr ausgesetzt, um das Gespräch mit Ihnen fortzusetzen.

KUMPERT: Welcher Gefahr haben Sie sich denn ausgesetzt? Und worüber wollen Sie mit mir sprechen – *(zu Blefferscheidt)* –, und seit wann dürfen wir Besuch empfangen?

MOHRSCHEIDT: Die Quarantäne wird irgendwann zu Ende

gehen. Sie werden wieder in Freiheit sein, und ich möchte nicht – Sie mögen mich beschimpfen und verdächtigen, soviel Sie wollen, und es ist doch wahr, was ich sage – ich möchte nicht, daß Sie in einer Sackgasse enden. Ich möchte, daß Sie diese ... diese erzwungene Muße benutzen, um sich zu besinnen. Es ist nicht Ihr Weg, den Sie jetzt gehen, Kumpert, es ist der Weg eines anderen.

KUMPERT *(ruhig):* Ich werde Sie nicht beschimpfen und nicht verdächtigen, Exzellenz. *(nimmt ihm ganz ruhig die Gesichtsmaske ab – Blefferscheidt und die anderen sind zu verdutzt, als daß sie sofort reagieren)* Warum kommen Sie, wenn Sie ernsthaft mit mir reden wollen, in diesem lächerlichen Aufzug? Mit Gesichtsmaske. Haben Sie tatsächlich Angst vor Aussatz, Exzellenz?

MOHRSCHEIDT: Nein, ich habe keine Angst, und ich hätte keine, das heißt, ich würde mich jeder Gefahr aussetzen, um ...

KUMPERT *(sehr höflich):* Ich bedaure sehr, was ich jetzt tun muß: es ist so dramatisch, und es wirkt so symbolisch, es ist so mißverständlich und doch das einzige, was ich tun kann. *(faßt Mohrscheidt an den Schultern und vollzieht das Ritual, das in feierlichen Hochämtern beim Bruderkuß vollzogen wird)* Ich sehe mich leider gezwungen, Eure Exzellenz anzuspucken. *(er spuckt Mohrscheidt auf beide Wangen, geht dann ruhig zur Tür hinaus; alle stehen ein paar Augenblicke fassungslos)*

BLEFFERSCHEIDT *(läuft erst zur Tür, dann zu Mohrscheidt zurück):* Er hat Sie angespuckt, Exzellenz. Unter diesen Umständen muß ich zu meinem Bedauern auch Sie in die Quarantäne einbeziehen.

MOHRSCHEIDT: Sie wollen doch nicht ...

BLEFFERSCHEIDT: Exzellenz, ich muß doch bitten.

(Mohrscheidt ergibt sich, Blefferscheidt rennt zur Tür)

TOBSER *(zu Mohrscheidt):* Es wird Ihnen an nichts fehlen, Exzellenz, an nichts.

(Vorhang)

Horst Bienek

Die erste Polka, Roman. 380 Seiten

Septemberlicht, Roman. 350 Seiten

Mit diesen beiden Büchern, mit diesem ›doppelten Wurf‹, hat sich Horst Bienek in die allererste Reihe der deutschen Nachkriegsliteratur katapultiert. Und wie man hört, arbeitet er an weiteren Fortsetzungen. Womit die Hoffnung besteht, die schicksalsschweren Jahre von 1939 bis 1945 eines Tages in einer nahezu Balzac'schen Fülle literarisch dokumentiert, komplett vor sich zu haben. Schon jetzt kann man sagen: mehr als nur ein Roman: ein Epos!
Rudolf U. Klaus in Die Presse, Wien

Wer im katholischen Oberschlesien gelebt hat oder sonst in deutschen Ostgebieten zu Hause war, wird die fromme Freude des Wiedererkennens genießen: Ja, so lebten die dort, so wurde gelacht und getanzt, gesoffen, geflucht und gegessen, gestorben, gesprochen. Gesündigt. Geliebt. Ein stilles, sanftes, von Liebe geprägtes und der Liebe würdiges Buch. Man trennt sich ungern davon. Man will es weiterlesen. *K. H. Kramberg in Süddeutsche Zeitung*

Horst Bienek beschreibt hier mit Meisterschaft die Poesie der Landschaft und der Leidenschaften, der Geschäfte und der Erotik, des Katholizismus und der Industrie, die Banalität der Originale und die Originalität banaler Existenzen, das sind große Szenen und ergreifende Momentaufnahmen. *Hermann Kesten in Neue Zürcher Zeitung*

Mich erinnert das an die großen russischen Romane, nicht zuletzt an Dostojewskij. Daß ›Die erste Polka‹ nun auf schwedisch vorliegt, ist durchaus ein literarisches Ereignis zu nennen. ›Fantastitschnek‹ würde Josel Piontek gesagt haben. *Ingmar Björksten in Svenska Dagbladet, Stockholm*

Im Carl Hanser Verlag, München

Romane und Erzählungen von

dtv

Heinrich Böll

Irisches Tagebuch
1

Zum Tee bei Dr. Borsig
Hörspiele
200

Als der Krieg ausbrach
Erzählungen
339

Nicht nur zur Weihnachtszeit
Satiren
350

Ansichten eines Clowns
Roman
400

Wanderer, kommst du nach Spa . . .
Erzählungen
437

Ende einer Dienstfahrt
Erzählung
566

Wo warst du, Adam?
Roman
856

Billard um halbzehn
Roman
991

Die verlorene Ehre der Katharina Blum
oder: Wie Gewalt entstehen und wohin sie führen kann
Erzählung
1150

Bildgedichte

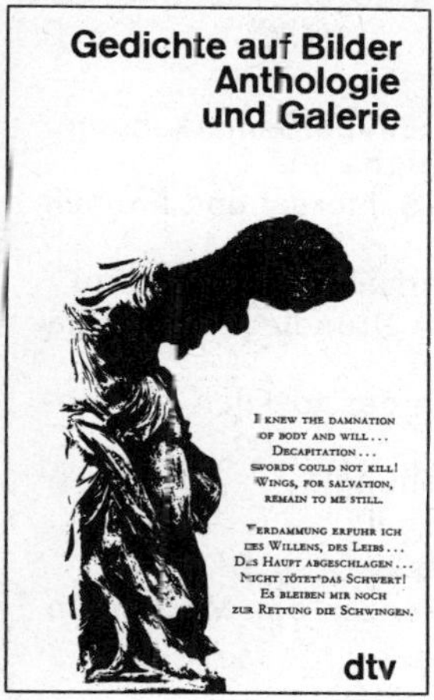

»Eine Anthologie, zu der es keine Alternative gibt.« (Luzerner Neueste Nachrichten)

Gedichte auf Bilder
Anthologie und Galerie
Hrsg.: Gisbert Kranz
1086
2. Auflage, 11.–16. Tsd.
Originalausgabe

176 Bildgedichte von 144 Autoren aus allen Teilen Europas – die englischen, französischen und lateinischen Texte auch in der Sprache des Originals – sowie 57 Reproduktionen von Werken der bildenden Kunst – vom Torso von Milet bis zu Salvador Dali. 25 Texte sind Erstdrucke, viele andere wurden bisher nur in Zeitungen und Zeitschriften veröffentlicht; die fremdsprachigen Gedichte wurden zumeist eigens für diese Ausgabe übersetzt. Ein Anhang informiert über die Texte und Autoren.

»Beide Welten stehen in der aufschlußreichen Sammlung stets nebeneinander: Bild- und Wortwelt, und es kommt zu überraschenden und aufregenden Kombinationen, die die Spannung nicht abreißen lassen. Das Lesevergnügen gesellt sich durchaus zu dem optischen Vergnügen.«
(Karl Krolow im ›Hessischen Rundfunk‹)

Schicksal? Grenzen der Machbarkeit

Ein Symposion

dtv

Inhalt

Der Begriff des Schicksals ist ein wenig aus der Mode gekommen in einer Welt, in der dem Menschen unendlich mehr Spielraum und Verfügungsgewalt gegeben ist als in früheren Zeiten. Wo liegen für den Menschen des 20. Jahrhunderts die Grenzen des Machbaren? Diese Frage sucht der vorliegende Sammelband aus der Sicht der verschiedensten Wissenschaften zu klären. Kriminologie, Philosophie und Nationalökonomie sind bei diesem Symposion ebenso vertreten wie die Erziehungswissenschaft, die Genetik oder die Geschichtswissenschaft, wie biophysikalische Chemie, Medizin oder Kultursoziologie. Und ein weiterer Beitrag beleuchtet im Kontrast zu den Überlegungen aus unserem Kulturkreis den Schicksalsbegriff in der islamischen Welt.

1236 / DM 5,80